ENSAIOS SOBRE O AMOR E A SOLIDÃO

Dados Internacionais de Catalogação na Publicação (CIP)
(Câmara Brasileira do Livro, SP, Brasil)

Gikovate, Flávio,
Ensaios sobre o amor e a solidão / Flávio Gikovate. – 11. ed.
– São Paulo : MG Editores, 2016.

ISBN 978-85-7255-045-1

1. Amor 2. Liberdade 3. Narcisismo 4. Sexo 5. Solidão
I. Título

05-8200 CDD-158.2

Índices para catálogo sistemático:

1. Amor : Relações interpessoais : Psicologia aplicada 158.2
2. Solidão : Relações interpessoais : Psicologia aplicada 158.2

ENSAIOS SOBRE O AMOR E A SOLIDÃO

Flávio Gikovate

Assistência editorial: **Soraia Bini Cury**
Assistência de produção: **Claudia Agnelli**
Capa: **Alberto Mateus**
Projeto gráfico e diagramação: **Crayon Editorial**
Fotolitos: **Join Bureau**

MG Editores
Departamento editorial:
Rua Itapicuru, 613 – 7º andar
05006-000 – São Paulo – SP
Fone: (11) 3872-3322
Fax: (11) 3872-7476
http://www.mgeditores.com.br
e-mail: mg@mgeditores.com.br

Atendimento ao consumidor:
Summus Editorial
Fone: (11) 3865-9890

Vendas por atacado:
Fone: (11) 3873-8638
Fax: (11) 3872-7476
e-mail: vendas@summus.com.br

Impresso no Brasil

sumário

introdução

É curioso observar o trajeto intelectual que percorremos ao longo do tempo. Há mais de trinta anos trabalho, intensamente, como psicoterapeuta, sempre tentando sintetizar de forma sistemática minhas observações nos livros que publico. Aos poucos, vão se delineando mais claramente, até para mim mesmo, quais foram meus objetivos principais, os temas que foram alvo da busca, obstinada, de compreensão e suas motivações fundamentais. Hoje não tenho dúvida: o que mais tenho buscado é o caminho que, talvez um dia, conduzirá o homem à condição de ser livre. Não subestimo os problemas sociais e econômicos próprios do tipo de ordem coletiva injusta que construímos. No entanto, a questão é mais complexa, uma vez que os opressores também são oprimidos por seus processos intrapsíquicos. É esse o tema de minhas observações e reflexões. Sou médico e não sociólogo. Aliás, com o passar do tempo, reconheço-me cada vez mais como médico. Não gostaria de ter outra especialidade, nem acho que poderia exercer melhor minhas potencialidades em uma área diferente — já houve épocas em que pensei ter escolhido a profissão por força das circunstâncias que cercaram minha história de vida.

A questão da liberdade foi o grande tema de minhas introspecções juvenis e do início da vida adulta. Estávamos nos anos 1960, época pródiga de movimentos sociais de natureza libertária também do ponto de vista psicológico. Eu, jovem médico, vivi os dilemas de 1968 na própria pele e como observador privilegiado do que acontecia com as outras pessoas. Liberdade era uma palavra com importante conotação sociopolítica, mas também estava diretamente relacionada com o sexo: a liberdade sexual era a mais cobiçada naqueles tempos, em que nos sentíamos muito mais reprimidos. Não é à toa que meus primeiros trabalhos giraram em torno da questão sexual, pois parecia que poderíamos, por exemplo, acabar com o ciúme, importante ingrediente restritivo à liberdade sexual em particular e à liberdade em geral, pela simples abolição de sua validade, como se pudéssemos extinguir um sentimento por meio de um decreto.

Tal ingenuidade determinou, evidentemente, maus resultados práticos e o arrefecimento do entusiasmo libertário na maioria dos indivíduos. Depois das tentativas malsucedidas da década de 1970, vieram os anos 1980, muito mais conservadores; sentia-se que o sonho havia mesmo acabado e que tudo voltaria a ser como antes, até nos assuntos relativos à vida afetiva, sexual e familiar. Felizmente, não foi isso o que aconteceu. Parece que as pessoas apenas pararam um pouco para tomar um novo fôlego e estão voltando a se interessar por tudo que esteja relacionado com liberdade. Talvez o façam de forma menos ingênua, busquem caminhos diferentes, embora ainda um tanto primários, que outra vez desembocarão no vazio. O fato, porém, é que voltaram à carga na busca da libertação. Neste preciso momento, é óbvio, para um número crescente de pessoas, que a liberdade passa por um crescimento interior importante. A forma como cada um busca tal evolução é muito variável, e temo por aqueles que pensam superficialmente sobre esse assunto fundamental e dificílimo. Acabarão por viver a mesma decepção que já sofremos na década de 1960: a de ver os sonhos se esvaírem com facilidade, parecendo que tudo é um amontoado de mentiras e que o esforço foi em vão.

Tenho a impressão de que em nenhum momento me conformei com o retrocesso típico dos anos 1980, de modo que acredito nunca ter abandonado os ideais libertários de minha mocidade. Abandonei, isso sim, a ingenuidade, que em mim era muito significativa. Percebi que as emoções e os sentimentos só se alteram ao longo de vários anos de trabalho interior muito árduo e consistente e que só conseguimos mudar interiormente quando estamos de posse de algum tipo de conhecimento verdadeiro e útil, o que nem sempre coincide com o saber oficial. Percebi também que a relação das pessoas com o conhecimento é conservadora, ou seja, elas defendem com unhas e dentes seus pontos de vista e resistem quanto podem a qualquer mudança. Notei muitos ingredientes mesquinhos em pessoas que eu tinha em alta conta e entendi melhor o egoísmo, a inveja e, sobretudo, um pouco mais a respeito da vaidade humana. Compreendi quanto tais componentes de nossa personalidade atrasam a evolução de cada um e, como conseqüência, a de todos nós.

O que fiz? Pus-me a trabalhar, buscando, primeiramente, entender melhor nossa sexualidade. Tentei me aprofundar nos temas em que fracassamos em vez de abandoná-los. Do sexo me dirigi ao amor, tido como a grande emoção libertadora, e nele detectei ingredientes repressivos e restritivos à liberdade individual de importância igual aos que sabíamos existir nas questões relativas ao sexo. Depreendi claramente as diferenças entre o sexo e o amor. Ao longo de vinte anos, dedico-me a demonstrar a relevância e as conseqüências dessa que seria uma alteração importantíssima na teoria psicológica em vigor. **Tenho a impressão de que as pessoas entendem meus argumentos, por vezes concordam com eles, e mais ou menos rapidamente voltam a pensar como se não tivessem sequer prestado atenção ao que ouviram. Foi aí que entendi a brutal dificuldade que temos de mudar de ponto de vista sobre assuntos que acreditamos dominar.** Nos cinco ensaios que compõem este livro, tentarei, uma vez mais, demonstrar a relevância dessa distinção para aqueles que buscam a liberdade. Sim, porque a liberdade se torna possível quando temos uma compreensão mais acurada daquilo que nos limita. O que aconteceu nos anos 1960, entre outras coisas, é que não dispúnhamos de conhecimento suficiente sobre nossa subjetividade para a revolução que pretendíamos fazer.

Minha atenção tem se voltado principalmente para o tema do amor. Isso não significa que a sexualidade me pareça bem equacionada. Ao contrário, acho que, quando formos capazes de avançar na resolução dos impasses relativos ao fenômeno amoroso, depararemos com aspectos extremamente complexos — e ainda muito mal elaborados e entendidos — de nossa sexualidade. É incrível como um fenômeno fisiológico simples assim tenha se transformado em um processo tão fundamental em nossa espécie!

Acredito que progredi bastante no entendimento do fenômeno amoroso. No início, estive interessado essencialmente nos mecanismos de escolha do parceiro, interesse que sempre se renova e que me leva a fazer novas e mais acuradas observações. Depois, procurei compreender as peculiaridades do sentimento amoroso propriamente dito, suas origens e por que as relações afetivas adultas são tão parecidas com as infantis, determinando a presença dos grosseiros elementos possessivos e exclusivistas totalmente contrários aos princípios libertários que continuam a me governar. Esse caminho tem me levado a pensar que os ideais de fusão do amor romântico estão em completo desacordo com nossa realidade atual, que exige maior mobilidade e crescente competência para uma existência individual. **O amor romântico é, talvez, o modo mais ciumento e possessivo de amar, apesar de ser uma adorável experiência e um ótimo remédio — paliativo — para nossa condição de desamparados.** Essas peculiaridades positivas, associadas aos valores da época em que fomos criados, fazem que continuemos muito fascinados com tal envolvimento afetivo. Ao menos em um primeiro momento, e especialmente em fantasia, estamos dispostos a pagar qualquer preço nele embutido; parece que não nos incomodamos com as limitações à liberdade próprias do ciúme, tampouco com o fato de esse tipo de ligação determinar uma dependência similar à dos viciados em drogas pesadas.

Minhas reflexões caminham, acima de tudo, na direção do respeito pela individualidade, e percebo cada vez mais como são poucas as pessoas que efetivamente chegam a desenvolver uma identidade, um eu que lhes seja característico; quando isso acontece, as preocupações com o que os outros pensam de nós diminuem muito, além do fato de não estarmos dispostos, de forma alguma, a abrir mão da identidade tão arduamente conquistada. Sim, porque se trata de difícil, penosa e longa caminhada essa que nos leva à constituição do eu — é aí que penso com preocupação naqueles que buscam atalhos para chegar mais rapidamente ao objetivo final. Pessoas que atingiram esse estágio de desenvolvimento pessoal não podem ter mais interesse na fusão romântica. São inteiros e não metades que buscam se completar por meio do outro. Sabem que suas fraquezas e limitações têm de ser resolvidas internamente e esperam menos dos outros; são mais tolerantes para com eles e mais livres de seu julgamento.

Pessoas que construíram seu eu podem se relacionar amorosamente de uma forma nova, que tenho chamado de "mais que amor" ou "+amor", muito similar ao que acontece nas amizades. Vejo a amizade como um sentimento mais consistente do que o amor e não como um prêmio de consolação. Pessoas que construíram

seu eu podem perfeitamente viver sozinhas e gostar muito de seu destino. A liberdade individual será maior ainda do que aquela que existe entre pessoas que vivem juntas de modo muito respeitoso, uma vez que nem mesmo as pequenas concessões precisarão ser feitas. Tudo é faca de dois gumes e aqui também teremos de fazer nossas escolhas. Isso quando for o caso, pois muitos são os períodos em que precisamos ficar sozinhos mesmo contra nossa vontade. Aí é que as diferenças são marcantes, pois quem não suporta a solidão trata de, sem critério, buscar um parceiro qualquer apenas para "tapar o buraco" que não suporta sentir. O resultado só não será catastrófico por mera — e muito feliz — coincidência.

É sobre o detalhamento de alguns dos elementos teóricos ligados à questão do amor que versam os dois primeiros ensaios deste livro. Os dois seguintes abordam dois dos principais ingredientes negativos freqüentemente presentes nas relações amorosas: o ciúme e a forte tendência que temos para estabelecer uma dependência vital de outra pessoa. O último ensaio esboça minhas primeiras reflexões sobre a solidão, circunstância que, segundo minha convicção, não deve continuar a ser vista como desesperadora e muito menos como algo de que deveríamos nos envergonhar. Espero, sinceramente, que a leitura possa ser útil a todos que já estejam prontos para, ao menos, pensar sobre pontos de vista diferentes daqueles nos quais estão solidamente enraizados.

Ensaios sobre o amor e a solidão

1 um

AFINAL, O QUE É O AMOR?

UMA TENTATIVA DE CONCEITUAR O FENÔMENO AMOROSO

Acreditava que minha capacidade de pensar sobre o amor havia se esgotado. O assunto estava encerrado, eu já entendera o que necessitava. E então me vi, novamente, às voltas com ângulos que eu negligenciara, com perspectivas que tinha desconsiderado. Hoje percebo melhor que cada um de nossos sentimentos, emoções e impulsos é formado por infinitos elementos, assim como uma célula é constituída por incontáveis átomos e suas partículas.

"Amor" é uma palavra usada com inúmeros significados. Ainda quando tem como objetivo descrever um mesmo sentimento, pode corresponder a sensações diferentes, dependendo de quem a pronuncia. Assim, todos a usamos com mais de um significado, além de este variar conforme a constituição da alma de cada um. Se levarmos isso a sério, teremos uma dimensão dos problemas embutidos nesse termo, bem como dos mal-entendidos que ele poderá gerar.

A palavra "amor" é antiga e já nos chegou com sentidos que foram se modificando no decurso dos séculos. Temos uma tendência a comportamentos reverentes em relação a alguns significados transmitidos por textos que valorizamos muito. Ou seja, não exercemos todo o nosso poder de crítica e reflexão quando as fontes de referência são nobres. Aliás, em certos casos, parece que a própria palavra já traz consigo a essência de seu significado e valor excepcional. Não é verdade. Na realidade, alguns equívocos podem se cristalizar e se repetir ao longo de gerações. Certas superstições relacionadas com o uso de determinados números ou dias do ano são exemplos disso.

O importante é que cada geração tem de entender melhor o conteúdo e tratar de redefinir com rigor crescente o sentido das palavras que utiliza, especialmente das mais relevantes. Assim, considero insuficiente o que sabemos sobre o termo "amor" e penso que devemos continuar pesquisando, sem preconceitos, sua essência. Isso é muito mais rico e produtivo do que nos colocarmos de modo servil diante de uma palavra que acreditamos conter as mais nobres e elevadas sensações. Não devemos ser submissos ao que foi dito sobre o amor no passado, e creio que nossos ancestrais não entenderam tão bem todas as nuanças desse complexo problema, não foram capazes sequer de separar o sexo do amor.

A maior parte dos profissionais de psicologia ainda hoje acha que o amor é um componente sublimado de um único impulso instintivo de natureza essencialmente sexual. A posição que defendo desde 1976 é a da absoluta autonomia entre os dois impulsos, que, em muitos aspectos, são até antagônicos. Não nos faltarão oportunidades para retomar o tema ao longo das páginas que se seguem. Aqui registro essa diferença de pontos de vista apenas para reforçar a tese de como ainda são precários nossos conhecimentos sobre as mais elementares peculiaridades íntimas.

Reafirmo a necessidade de tentarmos, o tempo todo, redefinir os nossos conceitos. Em especial, temos de procurar nos aprofundar no entendimento de nossos sentimentos e das conexões entre eles. **Não há nada que deva ser tratado como sagrado. Tudo está sempre em discussão e novas idéias precisarão ser levadas em conta. Esse é o verdadeiro espírito científico, aquele que convive com dúvidas e não se acomoda em conceitos tidos como definitivos.** Hoje compreendo que um tema assim complexo jamais poderá ser considerado esgotado. Quanto mais nos aprofundarmos no estudo de nossa intimidade, mais variáveis aparecerão e maiores serão as dificuldades de integrá-las a nossas velhas teorias. Elas terão de ser substituídas por outras mais abrangentes e, com o passar do tempo, estarão condenadas ao mesmo destino: caducar e ser substituídas por novas teorias mais completas e sofisticadas.

Voltemos à pergunta inicial: afinal de contas, o que é o amor? O amor é a força que une, ao passo que o ódio é a que separa? Amar é dar? É querer ter o outro por perto pronto para nos aconchegar, para que dele possamos receber? É desejar o que for melhor para a pessoa amada, mesmo que ela seja feliz longe de nós, ou mantê-la sob controle, se possível sob nossa eterna proteção?

O amor é um sentimento generoso por excelência ou uma manifestação fundamentalmente egoísta, na qual o outro existe para nos dar prazer e aconchego? Ele está mesmo na base da caridade ou esta se manifesta em decorrência de nosso desejo de expiar culpas ou de nos mostrarmos nobres, superiores? O amor é a essência da solidariedade? Afinal, é a fonte das maiores alegrias e o motor da felicidade ou a causa dos maiores sofrimentos e dores possíveis? Amar nos faz melhores, mais abertos para nossos irmãos, ou mais voltados apenas para nós e para a pessoa amada, condição na qual os outros e o mundo deixam de nos interessar?

Ao amarmos uma pessoa, efetivamente a amamos ou gostamos mesmo é do sentimento que ela nos evoca? Amamos o outro ou o estado de encantamento que ele nos provoca? Amamos outra pessoa ou o amor? O amor que sentimos por um filho é igual àquele que sentimos por um cônjuge? Amizade é também uma manifestação amorosa? Usamos a mesma palavra para sentimentos distintos ou o sentimento é o mesmo, só que vivenciado com conotações diferentes?

O amor que podemos devotar a Deus é da mesma natureza que aquele que sentimos por nossos pais? O que dizer do amor pela pátria, que pode nos levar a morrer por ela? Seríamos capazes de morrer também por nossos pais? E por nossos filhos? E por nosso cônjuge?

O amor é paz e aconchego ou aventura, emoção forte? Ele é sempre fenômeno duradouro ou também pode existir por apenas algumas horas? Amamos várias vezes ao longo da vida ou o verdadeiro sentimento acontece uma única vez? A paixão é mais intensa do que o amor? A paixão é amor? Ela pode perdurar por toda uma vida em comum? O que é mais consistente é forçosamente o menos intenso e emocionante? A intensidade do encantamento amoroso inicial indica algo a respeito do futuro relacionamento? As peculiaridades do enamoramento, da paixão e do amor são as mesmas? Apenas variações de intensidade ou definem diferenças intrínsecas?

Essas perguntas, que definitivamente não esgotam todos os componentes desse sentimento tão falado, louvado e mal compreendido, apenas mostram a complexidade da questão. Minha intenção era estar mais preparado, com as idéias mais claras, para então prosseguir nessa viagem. No entanto, compreendi que isso jamais acontecerá, uma vez que o esclarecimento de alguns aspectos abre imediatamente um leque de novas dúvidas. Dessa forma, decidi pelo caminho inverso: tentarei esboçar algumas reflexões com a esperança de que o próprio ato de escrever sobre elas seja o caminho para a construção de novos conceitos. Temos de ir buscando definir de modo cada vez mais nítido o que venha a ser o amor e suas várias facetas. Quem sabe um dia estejamos mais próximos do entendimento de sua verdadeira essência!

Nos temas relacionados com nossa natureza objetiva, assim como naqueles referentes a nossa subjetividade, as definições nascem da mais rigorosa e acurada descrição dos fatos observáveis. Por certo, esse já é um primeiro problema, pois cada observador percebe a realidade de uma forma. Precisamos ter coragem e ousadia, sobretudo quando estamos tratando de assuntos relativos a nós mesmos. As chances de erro são enormes. Apesar dessas ressalvas, vale a pena tentarmos percorrer mais uma vez os caminhos que podem nos ajudar a compreender por que as pessoas consideram o amor um sentimento tão poderoso.

O primeiro fato, fácil de observar, é que muitos de nós nos sentimos mal, abandonados e desamparados quando nos percebemos sozinhos, vivenciando essa condição, ainda quando provisória, como desesperadora. Esse estado é chamado de "solidão", palavra que, em razão disso, tem forte conotação negativa. **A solidão é vista como um estado horrível, como algo a ser evitado a qualquer custo. A pergunta que se impõe é a seguinte: afinal, por que nos sentimos tão mal quando estamos sozinhos, abandonados aos próprios recursos objetivos e subjetivos?** A resposta a essa questão pode parecer óbvia. Não creio que desconsiderarmos questões tidas como bem explicadas seja um bom caminho quando estamos verdadeiramente interessados em avançar no entendimento de nossa vida íntima. **Não há pergunta que não mereça uma nova tentativa de resposta, ainda que isso se mostre redundante e desnecessário.**

Quando estamos desacompanhados, parece que alguma coisa nos falta. É como se nos sentíssemos incompletos em nós mesmos! Não deixa de ser um tanto estranho que criaturas adultas e auto-suficientes possam sentir, quando sozinhas, que lhes falta uma parte.

Não nos sentimos como criaturas inteiras, completas. Vivemos um estado de permanente busca de completude, condição que, como regra, seria encontrada por meio do acréscimo de algo que nos é exterior. Temos sempre a impressão de que algo ainda nos falta e pensamos que atingir certos objetivos determinará em nós a busca da sensação de inteireza. **O mais comum é sentirmos que a plenitude será alcançada por meio da aliança com outra pessoa, detentora de todas as "partes" que acreditamos não existirem em nós.**

Os orientais sempre estiveram mais voltados para o interior, o que não significa que se sintam completos em si mesmos. Penso que seguiram por esse caminho com o intuito de encontrar a inteireza que falta também a eles. Pela introspecção, buscaram a integração com o universo como um todo em vez de tentarem se completar com algo que lhes é externo. Tornaram-se menos voltados para o mundo material a seu redor e mais interessados em se sentir como parte de um todo maior, cujo acesso é facilitado pela diminuição da importância do que os envolve. **O fato psicológico é o mesmo: todos nos sentimos incompletos; uns buscam a completude tentando se unir a outras pessoas ou coisas que os cercam, enquanto outros tratam de encontrar a unidade procurando se fundir com o todo do qual um dia viemos.**

Não posso deixar de me impressionar, mais uma vez, com o fato de que nós, orgulhosos seres humanos, nos sentimos como fração e não como unidade. É muito provável que boa parte dos sentimentos de inferioridade presentes em todos nós derive do sentimento de incompletude. Não é impossível que nossa energia, voltada para a ação, provenha do desejo de atenuar essa dolorosa sensação íntima de inferioridade. Não é absurdo pensar que as eventuais forças superiores que nos geraram tenham agido intencionalmente, determinando em nós tendências à atividade, para assim estarmos sempre em busca de novas e melhores soluções para nosso modo de vida. Sempre que conseguimos encontrar uma boa solução capaz de amainar nosso desamparo tendemos à inércia e à acomodação.

Se fomos ou não gerados por forças superiores é assunto que não nos convém discutir. A verdade é que tudo se passa como se tivéssemos estado no paraíso e de lá sido expulsos. Digo isso porque parece existir em nós uma impressão de que já estivemos em estado de unidade e que, por algum motivo, o perdemos. **Parece haver em nós a nostalgia de uma perfeição perdida. A hipótese que defendo para explicar essa sensação psicológica é a de que nos sobra, ainda que de forma não-verbal, alguma lembrança da harmonia e completude vivenciadas durante a fusão uterina. O nascimento corresponderia a nossa primeira e maior experiência traumática, precariamente suavizada pelo aconchego que nossa mãe tenta nos dar na fase inicial da vida. O trauma do nascimento deixa seqüelas definitivas relacionadas com a sensação de incompletude decorrente da "expulsão do paraíso". O nascer corresponde a nosso *big bang*!**

Na infância, buscamos a integração por meio da aproximação física com nossa mãe. Sentimo-nos ameaçados do ponto de vista prático, uma vez que nascemos totalmente incapazes de sobreviver por meios próprios. Ela nos aconchega, abranda a dor do desamparo relacionada com a sensação de incompletude, de que somos apenas uma fração, e resolve nossos problemas práticos, nossas necessidades concretas. Dela dependemos emocional e fisicamente. Dessa aliança sobra a sensação — e mais tarde a idéia — de que poderemos nos sentir completos por meio de uma aproximação especial com outro ser humano. É provável que a palavra "amor" tenha sido criada por esse caminho e que, no início, tenha tido relação essencial com o sentimento que aproxima a criança da mãe — e, de alguma forma, também ela do filho. Proteger pode determinar a sensação de estar sendo protegido.

Assim, gostaria que ficasse bem evidente meu ponto de vista a respeito da questão: em algum momento depois do nascimento, passamos a nos sentir como fração. É possível que no útero nos sentíssemos como unidade, pois não nos distinguíamos de nossa mãe; éramos uma coisa só, uma só carne. Talvez não nos reconheçamos como fração desde os primeiros dias de vida e ainda nos percebamos como parte de nossa mãe, apesar de já começarmos a experimentar algumas dores próprias. Passamos a ter desconfortos físicos que inexistiam durante a vida intra-uterina; sentimo-nos desamparados e desesperados quando não somos rapidamente atendidos. Já vivenciamos as dores derivadas de nos sentirmos incompletos e incapazes para a plena solução prática de nossos dramas de sobrevivência antes mesmo de nos percebermos como fração. Presumo que isso aconteça quando, lá no fim do primeiro ano de vida, nos reconhecemos como destacados de nossa mãe — é o que se chama de "nascimento psicológico".

Desde o início sentimos a incompletude, e a partir de certo momento nos identificamos como fração. E mais, parece ter sobrado em nossa memória a lembrança de um tempo em que éramos unidade, em que não nos sentíamos como se tivéssemos um buraco na região do estômago. Estivemos no paraíso e de lá fomos expulsos. Éramos inteiros e nos tornamos uma metade. Por meio do relacionamento que temos com a mãe, aprendemos que a dolorosa sensação de desamparo que acompanha essa incompletude se atenua muito quando estamos em seu colo, sugando seus seios, sentindo seu cheiro e experimentando o prazer que vem do seu calor. Daí resulta a lembrança de que nos sentimos mais completos quando estamos grudadinhos nela e que por meio desse tipo de aproximação poderemos novamente nos sentir como unidade, como se tivéssemos voltado para dentro do útero. Estar no colo da mãe nos provoca uma sensação ótima: é como se tivéssemos "desnascido", como se pudéssemos voltar para o lugar do qual viemos, para aquela adorável sensação de não ser, de não existir!

Antes de nos reconhecermos como criatura, parece que nos sentíamos aconchegados e integrados. Tudo nos leva a crer que esse estado gerava uma sensação muito boa, pois procuramos reencontrá-la ao longo da vida, o que se caracteriza pela impressão de que algo nos falta, de que somos apenas uma sofrida fração. Possivelmente daí derivem as duas tendências predominantes em nossas culturas e que já apontei anteriormente: os ocidentais tentaram refazer a unidade andando para a frente, buscando reconstruir situações similares àquelas que foram perdidas; os orientais, voltando para trás, procurando se reintegrar no todo de que viemos.

Nosso tema tem, pois, óbvias correlações com as questões religiosas. Tudo que porventura tenha nos ocorrido antes do nascimento também pode estar relacionado com algum tipo de existência prévia. O pensamento científico tem de parar nesse ponto, ao menos por ora. Cabe registrar que o empenho de integração cósmica buscado pela religiosidade oriental corresponde a algo que já podemos reconhecer como parte do fenômeno que chamaremos de amoroso. **Tudo que determinar a atenuação da dolorosa sensação de incompletude será tido como parte do fenômeno amoroso, o qual deverá ser diferenciado, de modo claro, da definição de amor. A integração cósmica é, pois, um fenômeno religioso e amoroso. A palavra "amor" surge sempre como importante ingrediente dos processos religiosos por razões que, por essa via, vão ficando mais claras.**

Os anos passam e, com o desenvolvimento motor, vamos nos tornando capazes de resolver problemas práticos cada vez mais sofisticados. Ao mesmo tempo, aos poucos nos familiarizamos com nossa condição diante do universo: não sabemos de onde viemos, para onde vamos, por quanto tempo ficaremos aqui nem qual é o sentido da vida. Tal consciência reforça a sensação de desamparo exatamente quando o desamparo físico estava começando a diminuir. Essa sensação intensifica a de incompletude, de modo que continuamos a crescer com a impressão de que somos uma fração e não uma unidade. É assim que quase todos nós nos sentimos pela vida afora. Nem ousamos experimentar aquelas situações nas quais poderíamos voltar a sentir o desespero relacionado com a ausência de certas figuras que nos amenizam a dor. Temos pavor da solidão e não tentamos nos curar desse tipo de medo. Não temos sequer idéia formada a respeito de sua natureza: trata-se de um medo irracional a ser combatido ou de algo efetivamente perigoso? O último ensaio deste livro trata exatamente dessa questão.

De acordo com a tese que estou desenvolvendo para explicar os fatos objetivos e subjetivos que nos caracterizam, é possível dizer que nossa principal questão psicológica consiste em uma permanente sensação dolorosa de desamparo e incompletude. Somos unidades que não se sentem como tais. Não temos conseguido resolver essa questão dentro dos limites de nossa subjetividade, ou seja, no espaço que vai "de nossa carne para dentro". **Para a dolorosa sensação de que seríamos, por essência e de modo inexorável, uma metade, procuramos soluções ligadas à busca de reintegração ao todo de que viemos ou por meio da aliança com pessoas ou coisas que nos**

cercam. Esses dois tipos de solução correspondem ao que estou chamando de fenômeno amoroso.

Cabe enfatizar que o fenômeno amoroso busca soluções atenuantes. Corresponde a uma medicação paliativa, baseada na tese de que não poderemos jamais nos sentir como unidade. Sim, porque, ao me sentir inteiro ao lado de uma pessoa, estou dizendo para mim mesmo que sozinho não sou mais do que uma metade. As soluções amorosas reforçam a tese de que somos metade. Atenuam a dor do desamparo na presença daquele ou daquilo que nos completa; essa dor voltará a nos perseguir assim que se desfizerem as precárias alianças que nos unem ao que nos aconchegou.

Convém também considerar, desde já, que o fenômeno amoroso é de natureza homeostática, ou seja, leva-nos de uma condição negativa para outra neutra. É certo que o fim da dor do desamparo já corresponde a um importante prazer. Assim, o amor é um prazer que se renova apenas quando se recriam as condições de desamparo. Sempre que ficamos sozinhos sentimos dor; esta se esvai quando nos aconchegamos em algo ou alguém e volta quando nos afastamos do que nos provoca aconchego —, e só nos apaziguamos quando essa condição se refaz. **Podemos perceber que os grandes e renovados prazeres relacionados com o fenômeno amoroso são fortemente influenciados por sua instabilidade, pela construção de um elo que nos ata a outra pessoa ou coisa e por sua posterior destruição, à qual se seguirá uma reconstrução.**

NÃO PODEMOS CONTINUAR CONFUNDINDO SEXO COM AMOR

É hora de abordarmos alguns ingredientes relacionados com nossa sexualidade. Esta dá seus primeiros sinais exatamente no período do nascimento psicológico, ou seja, a partir do fim do primeiro ano de vida. Não me parece impossível que exista alguma correlação entre a descoberta das zonas erógenas — e das sensações que delas podem ser extraídas — e uma percepção mais definida de que somos criaturas desgarradas da mãe. A excitação sexual é essencialmente individual; isso é particularmente observável em suas primeiras manifestações, em que o auto-erotismo é mais evidente. **A criança, ao se pesquisar e se tocar a ponto de provocar a sensação erótica, tem nesse prazer uma manifestação importante e que em nada depende da presença de sua mãe ou de qualquer outra criatura. É possível que essa seja a primeira experiência na qual ela perceba sua autonomia, sua existência como pessoa única.**

Perceber-se como única não significa, como já sabemos, perceber-se como inteira. O ato de sentir-se como única e desgarrada da mãe se dá em concomitância com uma sensação física muito prazerosa. É possível que essa associação nos acompanhe por toda a vida, provocando um importante prazer erótico relacionado com ser diferente, desgarrado. Penso ser apropriado dizer que isso corresponde ao embrião do que, mais tarde, será a expressão da vaidade humana.

O fato mais relevante aqui é que a sexualidade nos chega em franca associação com o início da constituição de nossa identidade, da consciência de que somos seres desgarrados, únicos, sob a forma de um grande prazer, como algo imperdível. Não é devaneio supor que esse impulso instintivo se transformará no mais importante guardião dessa nova aquisição: nossa unicidade. **Assim, o processo que chamamos de individuação tem como patrono nosso instinto sexual, fonte de prazeres ímpares.**

Dessa maneira, acaba se compondo um antagonismo, uma dualidade de intenções dentro de nossa subjetividade: de um lado, queremos nos integrar, nos fundir com nossa mãe — e depois com outras pessoas ou coisas — e, de outro, desejamos nossa individualidade. A ânsia de integração atenua a sensação de desamparo, provocando o prazer relacionado com o fim dessa dor e trazendo consigo a sensação de paz e harmonia. A individualidade está associada a prazeres mais intensos, físicos mesmo. Ambicionamos nos fundir com o outro, ou outros, e ser únicos e individualizados ao mesmo tempo. Ansiamos o fim da dor do nascimento e buscamos os benefícios do fenômeno amoroso, assim como queremos a aventura e os prazeres que nosso corpo pode nos dar.

Não estou negando o aspecto corporal existente também no fenômeno amoroso, em que o neonato busca o aconchego inicial no colo da mãe. Contudo, ressalto que tais processos de integração se tornam rapidamente possíveis por meio de mecanismos intelectuais, das palavras e de outras trocas de carinho que podem acontecer entre pessoas sem que elas se toquem, o que pode vir a se tornar prioritário com o passar dos anos. A excitação sexual pode se dar, ainda, pela evocação, pelo uso da imaginação. Entretanto, ela guarda forte correspondência física tanto no plano auto-erótico como no caso das trocas de carícias típicas da fase adulta. O fenômeno amoroso vai se tornando algo mais intelectual, ao passo que o sexo se mantém mais fiel a seu caráter de excitação corporal.

O fenômeno amoroso é homeostático, enquanto o sexual é desequilibrado. Talvez seja o único desequilíbrio físico sentido como prazeroso. Daí sua importância capital para nossa psicologia. É o que mais nos impulsiona na direção da ação, do existir, do tentar ser. O amor nos leva para a inação, para a fusão e diluição no outro, para algo que não é ser nem existir; tem como ideal que o tempo pare, que tudo se torne igual e imutável, que a estabilidade e a serenidade nos recordem nossa origem paradisíaca, ou uterina, que provavelmente era bem assim. Isso como ingrediente principal, pois convém lembrar que o fato de nos sentirmos como fração pode gerar sentimentos de inferioridade que também determinariam importante vetor na direção da ação e da construção. A sexualidade e os sentimentos de inferioridade constituiriam uma dupla fortíssima que está sempre determinando um vetor dirigido para a ação.

O que não consigo entender é por que, ao longo de tantos anos, as pessoas têm confundido os fenômenos sexuais com os de natureza amorosa. Aos meus olhos é bastante evidente que se trata de processos distintos e mesmo antagônicos. É possível tentarmos encontrar algumas soluções operacionais com o objetivo de conciliar esses dois impulsos igualmente fortes que nos constituem, o que, todavia, não significará o fim do antagonismo nem que sejam parte de um mesmo impulso vital. A psicanálise incorpora com facilidade a idéia de dualidades, ambivalências e conflitos, mas, no caso do sexo e do amor, colocou-os no mesmo prato da balança como impulsos vitais e em antagonismo com os que nos levam à inação, à morte. Creio que seja mais fácil relacionar o fenômeno amoroso com o instinto de morte do que associá-lo à excitação sexual.

(Cabe uma rápida observação conceitual: ao me referir ao amor algumas vezes como sentimento e outras como impulso, não estou sendo deliberadamente negligente e abrindo mão de definições rigorosas. A questão é por si complicada. Podemos dizer que ele corresponde a um sentimento que desenvolvemos por certa pessoa e nos impulsiona na direção dela do mesmo modo que o desejo sexual nos conduz na direção de determinadas pessoas. Ao menos por ora, pensemos no amor como um sentimento e um impulso. Se quiséssemos evitar essa dualidade, teríamos de dar um nome diferente para o que nos leva na direção da pessoa amada, o que seria, segundo penso, um fator de confusão que não acho oportuno introduzir.)

Tais enganos não estão isentos de sérias conseqüências. Muitas das dificuldades que temos tido em entender certas inibições sexuais se esclarecem imediatamente quando vemos os antagonismos entre integração e individualidade. A mais patente consiste na comum inibição sexual masculina diante de uma mulher pela qual se esteja apaixonado. A forte intensidade do fenômeno amoroso provoca uma tendência para a fusão e para a destruição da individualidade, de forma que esta última se defende por meio da inibição de seu mais legítimo representante: a sexualidade.

É fácil compreender por que figuras aparentemente avessas ao fenômeno amoroso sejam vistas de modo tão atraente do aspecto sexual. Penso que aqui esse impulso pode se manifestar mais livremente, pois não há o risco de ele trazer consigo, ao menos com sucesso, a tendência para a fusão romântica, uma vez que aquele que é o objeto do desejo sexual se mostra totalmente refratário ao amor ou inadequado a ele. Assim, a sensualidade das pessoas cresce com a "vulgaridade" delas, o que, de alguma forma, significa desinteresse por coisas de maior valor — subentendendo-se aí os valores espirituais que costumam ser associados ao fenômeno amoroso.

Forças psíquicas muito poderosas nos conduzem ao fenômeno amoroso e outras não menos poderosas nos afastam dele, definindo uma importante preferência por nossa individualidade. Quando estamos solitários, livres e erotizados, sentimos enorme falta de aconchego, paz e harmonia. Quando estamos aconchegados, sentimos esse estado como um tanto sufocante e sonhamos com a liberdade — sempre associada aos fenômenos eróticos. Podemos entender que o sonho romântico de fusão entre duas pessoas — e que é uma

das manifestações do fenômeno amoroso — encontra oposição dentro da própria subjetividade. Não há mais a necessidade de buscarmos os tradicionais obstáculos externos para explicar a não-realização desse sonho; eles são internos e parte de um complexo que tenho chamado de "fator antiamor".

É evidente que, se não nos sentíssemos uma fração, incompletos, não haveria tendência para o tipo de integração amorosa que observamos em nós. A individualidade apoiada na força de nosso erotismo nos impulsionaria mais do que tudo ao estado solitário e a uma vida totalmente voltada para a ação. Eventuais fenômenos gregários devem ter se originado de outras funções mais elaboradas de nosso psiquismo e a eles me referirei mais adiante. O ponto de equilíbrio entre esses dois componentes fundamentais de nossa subjetividade será encontrado por nós, podendo variar conforme a fase da vida que estejamos atravessando. É preciso ressaltar que não existe uma solução única, definitiva, atemporal nem aistórica para a questão do fenômeno amoroso e de sua intrincada oposição com nossos processos eróticos.

CONVÉM DISTINGUIR ENAMORAMENTO, AMOR E PAIXÃO

Tentarei explicar as peculiaridades mais comumente encontradas nos relacionamentos entre um homem e uma mulher. As hipóteses que formulei acerca do fenômeno amoroso só serão válidas se estiverem de acordo com os fatos que observamos cotidianamente e puderem nos ajudar a desvendar alguns dos muitos segredos que ainda cercam esse aspecto de nossa vida anímica. Talvez seja conveniente, de início, tentarmos conceituar, de modo um tanto mais rigoroso, enamoramento, amor e paixão. Eles são algumas das formas de expressão do fenômeno amoroso mais relevantes em nosso dia-a-dia.

O enamoramento corresponde ao processo que ocorre quando duas pessoas se conhecem e vêem a possibilidade do encontro amoroso. Nos casos em que elas já se conheciam há tempos, parece que, de repente, se reconhecem como possibilidade amorosa. A velocidade com que os eventos acontecem é variável e não determina uma diferença substancial. Assim, o chamado "amor à primeira vista" se caracteriza por um encantamento quase imediato, mas que provavelmente contém todos os ingredientes que descreverei de modo mais detalhado. Minha experiência diz que o início do processo é relativamente rápido em quase todos os casos. A pessoa pode demorar um pouco para se reconhecer e se declarar nesse estado, porém, depois de um encontro impactante, já se sente um tanto diferente, desatenta e dispersa — são os primeiros sinais de que algo muito forte a acometeu desde que passou algumas horas junto daquela dada pessoa.

Repito que o principal fator predisponente para que surja o enamoramento está relacionado com a sensação de incompletude, de que somos uma fração e não uma unidade. Por certo, se nos sentíssemos inteiros, não teríamos o desejo de fusão que caracteriza o sonho romântico. O enamoramento surge envolvendo aquela

dada pessoa porque nos parece que ela pode corresponder ao pedaço que nos falta. Ele depende, pois, de características que supomos estarem presentes no outro e vice-versa. É importante levar em conta mais uma condição íntima que nos predispõe a um novo encantamento: sempre que nos sentirmos desequilibrados, tenderemos a nos tornar mais suscetíveis a um novo envolvimento.

Esse estado de desequilíbrio interno costuma ser de natureza negativa, ou seja, tendemos ao enamoramento — especialmente àquele que envolve um parceiro mais indiscriminado, escolhido de modo menos rigoroso — quando nos sentimos particularmente tristes e pouco competentes para suportar nossa condição objetiva ou subjetiva. O surgimento de uma pessoa que preencha os mínimos requisitos exigidos por nossa forma de pensar já será suficiente para desencadear o encantamento. É provável que em circunstâncias mais estáveis aquela mesma pessoa não nos causasse tal impacto.

Um desequilíbrio positivo, aquele que sentimos quando mudamos de uma condição — concreta ou íntima — pior para outra melhor, também poderá nos predispor a um novo enamoramento. Aqui as coisas se complicam, e duas são as rotas que, por vezes sem perceber, seguimos. Uma delas é a busca de uma nova fração, mais à altura, para nos completar. Agora o indivíduo quer se fundir com alguém que pareça merecedor dele. Quando for esse o caso, a regra é que a pessoa buscará alguém que corresponda, de fato, a um modo de ser mais sofisticado do que o existente nos relacionamentos anteriores.

A outra rota, mais sutil e a serviço das forças destrutivas que nos atacam sobretudo nas horas de importantes conquistas positivas, é determinada pelo medo da felicidade. Ou seja, ao conseguirmos progredir em certas áreas da vida, tendemos a estragar ou, ao menos, prejudicar outras que aparentemente não iam mal. Surge, então, a propensão, em pessoas que já vivem um relacionamento afetivo de qualidade — e isso será mais bem definido em breve —, a um novo enamoramento com alguém que aparece como avanço, mas que os fatos demonstrarão trazer consigo mais desgostos do que satisfações. Devemos estar sempre muito atentos nos momentos de avanço pessoal, pois essa hipótese terá de ser excluída com total cautela por aqueles que não querem construir por um lado e destruir pelo outro.

Não tenho a intenção, ao menos neste momento, de voltar a discutir os tipos de encantamento amoroso, uma vez que já o fiz em várias oportunidades recentes. **O fato é que nos enamoramos porque nos sentimos incompletos, e nos tornamos particularmente vulneráveis às flechadas do Cupido quando nossa auto-estima sofreu algum abalo negativo ou positivo.**

Ao consultarmos nossas vivências pessoais, saberemos que existem muito mais peculiaridades do que as aqui descritas e que dão um toque de magia ao processo de aproximação de duas criaturas que, até aquele instante, eram indiferentes uma para a outra. **O enamoramento faz exatamente isso: transforma uma pessoa que antes nos era indiferente em alguém absolutamente**

indispensável e em cuja ausência parece que só nos resta a morte. É possível que esse elemento mágico, essa espécie de milagre, tenha impedido a análise mais rigorosa dos processos aí envolvidos.

O encantamento amoroso, essa fusão fácil na qual deslizamos ao nos aproximarmos daquela pessoa agora tão especial e única, nos embevece e nos faz deslumbrados a ponto de perdermos todo tipo de critério. De um ponto em diante não temos mais condições de avaliar as características da fração escolhida para nos completar. Perdemos o critério para controlar o que nos está acontecendo. Só podemos achar que se trata de algo maravilhoso! Estávamos infelizes, desamparados e desesperados, e agora nos sentimos inteiros, fortes, orgulhosos de nós mesmos e de nossa escolha amorosa. A felicidade encontrada depende da presença do outro, e, se ele partir, voltaremos ao estado original — talvez até um tanto piorado. No entanto, parece-nos que nada disso faz mal. **Não nos sentimos diminuídos pelo fato de necessitarmos do outro para conseguir harmonia e bem-estar. Para nós, estas são as propriedades do amor, sentimento lindo que alcança apenas uns tantos privilegiados.**

Aqueles que estão enamorados sentem-se perplexos, não sabem nem querem explicar o que lhes está acontecendo. Não se interessam por atitudes racionais a respeito do amor, só querem vivenciá-lo. Estão encantados com esse estado extraordinário de euforia vivido com boa dose de medo de que tudo acabe e de que despertem de um sonho bom. Tudo parece novidade, de

sorte que até as atividades que eram exercidas com desgosto agora passam a ser prazerosas. Pensam estar livres, de vez, do tédio e da banalidade do cotidiano. Temem, e com razão, que esse estado não perdure. Esforçam-se por mantê-lo; trocam todas as juras possíveis, tanto as que garantem a presença de um na vida do outro como as que farão deles eternos enamorados.

Quem estuda o comportamento humano não pode deixar de fazer perguntas e de tentar dar respostas a questões dessa importância. Não partilho do ponto de vista de que a introdução de elementos racionais seja capaz de, por si, subtrair o encantamento dos fenômenos que estejam sendo analisados. Se isso vier a acontecer, terá sido porque o elemento ilusório e a superficialidade do processo eram tão evidentes que a simples introdução de uma lupa já foi suficiente para mostrar todas as ranhuras do processo. Assim, mesmo contrariando os puristas, que acreditam que o amor não foi feito para ser estudado e sim para ser vivido, farei algumas reflexões acerca do processo de enamoramento.

Temos de levar em conta, quanto à escolha do parceiro amoroso, a existência de um importante ingrediente relacionado com o desejo sexual. Isso é particularmente verdadeiro para o homem, pois nele o desejo visual assume grande importância depois da puberdade. Aquela mulher percebida como especialmente atraente e bela, mas sobretudo sensual, desperta nele um enorme desejo de aproximação física. O fascínio pela aparência dela pode mesmo vir a prejudicar uma avaliação mais criteriosa de suas outras propriedades humanas. O processo é diferente na mulher. Para ela, o desejo visual é menos importante, de modo que ela sempre levará mais em conta outros fatores da personalidade do homem, como a condição social, intelectual e econômica, para saber se permitirá a aproximação dele. Caso esteja dentro de seus critérios de valor — a mulher faz, portanto, uma seleção mais rigorosa e racional, ainda que isso não signifique que busque sempre a pessoa que lhe seja mais adequada —, ela o aceitará. **Nossos critérios de valor são mutáveis. Daí o medo que sentimos de que possamos deixar de ser amados. Daí também deriva o fato de que mudanças na auto-estima determinam uma predisposição para novos enamoramentos.**

Por que insisto tanto nessa questão? Para dar consistência à afirmação que faço de que o encantamento amoroso contém um importante ingrediente racional e lógico. Mesmo que não percebamos, usamos critérios para a seleção do parceiro. Pessoas mais competentes para lidar objetivamente com seus interesses, aquelas que chamamos de egoístas, são as que têm mais consciência do rigor racional de suas escolhas. As mais generosas acham "feio" ter outras intenções mescladas a suas emoções, de modo que as negam, o que faz que as "outras intenções" se tornem inconscientes e não que desapareçam.

Esse elemento racional, ligado à admiração do outro em virtude de ele possuir valores legítimos ou não, tem relação direta com a vaidade, esse ingrediente de nossa sensualidade que nos faz portadores de uma excitação difusa ao nos percebermos admirados, olhados com desejo, ao chamarmos a atenção de forma positiva. Isso explica uma curiosa característica da pessoa enamorada: ela gosta de ir a lugares públicos, de exibir seu novo par. Imagina a reação de tantas e tais pessoas ao saberem da história. Sonha com seus inimigos maltratados pela inveja diante de sua glória. Tudo por estar ao lado daquela pessoa tida como tão especial, tão espetacular!

É isso mesmo. Sinto-me com muito mais valor porque fui recebido e aceito como objeto de enamoramento daquela pessoa que acho tão maravilhosa! Eu lhe digo, com palavras e gestos, como me sinto valorizado por ter me escolhido. Ela me diz o mesmo. **Trocamos incensos a nossas vaidades: "Você é a criatura mais incrível que já conheci", "Tive muita sorte por ter sido escolhido por você", "Você é muita areia para o meu caminhãozinho", e assim por diante. As juras de amor, necessárias justamente por ele não oferecer garantias, se alternam com declarações que fazem bem à vaidade da pessoa amada. O discurso amoroso é um tanto superficial, pobre e extraordinariamente monótono e repetitivo. No entanto, todo enamoramento é vivido como único e especial. É como se o sentimento que une aquelas duas pessoas também fosse contaminado com sua vaidade. Elas são especiais porque se amam, e o sentimento que as une é especial porque elas são especiais.**

A vaidade, agora acoplada ao fenômeno de fusão romântica que está em curso durante o enamoramento, tem importante função complementar. O objetivo é buscarmos um ponto de equilíbrio entre o desejo de integração próprio do fenômeno amoroso e o anseio de individualidade próprio do instinto sexual. Qual a solução encontrada por nosso maroto e sofisticado cérebro? Nossa fusão, nossa integração, é vivida como única, especial, e nunca antes perfeição igual foi atingida! Pronto. Conseguimos a proeza de nos integrar e ser especiais ao mesmo tempo. Truques assim são muito interessantes, mas é claro que não há a possibilidade de roubarmos no jogo da vida. Em um momento posterior, o caráter nada especial nem tão grandioso de "nosso amor" se manifestará, gerando uma série de problemas inesperados.

Creio que já deveríamos passar a falar do amor, para o qual evolui o enamoramento nos casos bem-sucedidos. Sim, porque muitos são os encantamentos que se estabelecem de modo tão desesperado que não conseguem sobreviver mais do que uns poucos dias. De repente, aquela pessoa que havia se tornado única volta a ser comum. A mágica também existe no sentido inverso: nos casos em que a observação um pouco mais acurada das peculiaridades do outro não estava minimamente de acordo com a expectativa daquele que se enamorou, o sentimento tende a se extinguir muito depressa. Isso sem falar das pessoas que jamais se enamoraram e disseram para seu par que esse era seu estado de alma. Procederam assim com algum intuito prático, com o objetivo de obter algum favor. Ao conseguirem o intento, avisam que o sentimento — que nunca existiu — se foi. Fazem sofrer aquele que foi vítima desse tipo de "conto-do-vigário" e não sentem o menor remorso. A vítima não tem outro caminho a seguir senão o de reconhecer a dimensão do erro cometido e se desencantar. Deveria, ao menos, aprender com a lição, o que nem sempre ocorre.

Nos casos em que o enamoramento é bem-sucedido, o estado de euforia da descoberta e o enorme prazer pela novidade do encontro de um estado agradável de alma em virtude da presença do outro tendem a caminhar para uma condição mais estável e serena. O enamoramento é, pois, um estado de euforia, perplexidade e melhora íntima derivado da presença de uma pessoa tida como especial e única. A vaidade é muito incensada, ao mesmo tempo que o desamparo fica razoavelmente atenuado, além de, talvez, termos menos tempo para pensar nele em razão do trabalho que o novo relacionamento nos dá. Sentimos enamoramento pelo outro, por aquele que nos faz embriagados por esse estado de encantamento.

Com o tempo, o prazer da novidade e as gratificações da vaidade diminuem. Isso é obrigatório e acontece com todas as coisas da vida. O prazer que sentimos durante um processo de transição jamais fará parte de nosso cotidiano estável. Poderemos ter outras satisfações, mas o prazer que deriva da transição de uma situação pior para outra melhor não será permanente. Acostumamo-nos com as coisas, de modo que a presença delas deixa de nos surpreender e de nos impactar. Passamos agora a registrar, como ingrediente principal derivado da presença do outro, uma sensação de paz e harmonia relacionada com a atenuação do desamparo. **De repente, a presença da pessoa amada nos provoca sensações parecidas com as que um bebê sente ao lado da mãe: paz, aconchego e proteção. O amor corresponderia ao sentimento que temos por aquele que nos provoca as confortantes sensações de harmonia e serenidade.**

Em outras palavras, o processo dinâmico e eufórico do enamoramento desemboca, quando bem-sucedido, em um estado de calmaria e inação. Muitas vezes, as pessoas atribuem tal alteração ao parceiro, pois ele teria se acomodado. Não é raro que as mudanças sejam atribuídas à mulher, mormente quando relacionadas com a maternidade. Não estou negando a importância de nenhum desses fatores, mas sim supondo a existência de um equívoco anterior ligado à dinâmica do enamoramento, que, por si, tende a desembocar na paz e na serenidade do amor. A mesma pessoa que nos deixava orgulhosos, empolgados e embevecidos agora nos deixa aconchegados e serenos.

Pode parecer que algo se perdeu, que o amor que sentimos agora é de natureza inferior ao do início. Tal impressão, porém, é falsa. Deriva da vaga e precária noção que temos do amor. Aprendemos a pensar que ele é um sentimento maravilhoso. Vivê-lo é sinônimo de estarmos em uma condição privilegiada, com o humor exaltado, em que tudo fica cor-de-rosa e a vida é bela! Não fomos treinados para pensar profundamente sobre

nossos sentimentos. A verdade é que o amor corresponde a esse complexo de ingredientes que nos fazem ansiar por condições similares às dos primeiros tempos de vida, nos quais o paraíso era constituído por um estado de serenidade e calmaria. Todos sonhamos com a paz de espírito, com a vida serena e resolvida; depois, passamos a achar tudo isso muito chato e tedioso. Temos de decidir o que queremos para nós. Para tanto, é fundamental sabermos o que esperar de cada condição. Amor é paz e não aventura. Quem gosta de emoções fortes não deve aspirar a uma vida amorosa estável e serena. O amor é ótimo desde que saibamos que estados atingiremos por meio dele e que gostemos efetivamente de vivenciar esse estado.

Muitos casais tentam resolver a contradição entre o anseio de aconchego e o das fortes emoções do enamoramento com brigas sucessivas, nas quais a separação é vivida como iminente. Nesse ponto, sentem a dor da ruptura amorosa, que é terrível. Depois encontram um modo de se reconciliar e experimentam de novo o prazer do reencontro, a excitação dos primeiros tempos, o estado exaltado próprio do enamoramento. Voltam a paz e a tediosa harmonia — e é claro que não são todas as pessoas que vivem a harmonia como tediosa. Então, parece que a relação se banaliza, que não tem mais a excepcionalidade dos primeiros tempos. Apresenta-se a necessidade de uma nova briga, que repetirá o mesmo ciclo. Gostaria de afirmar, mais uma vez, que penso no amor como um fenômeno relacionado com nossas primeiras vivências, com os primeiros momentos de nossa existência ainda dentro do útero. O sentimento é, pois, de natureza regressiva e repete sensações que todos vivenciamos. É incrível que a ele se tenha associado a idéia de excepcionalidade, de que se esteja vivendo algo especial e único.

Quantas proezas podemos atribuir a nossa vaidade, que sempre em tudo se mete para dar a impressão de que somos diferentes, extraordinários, menos insignificantes! Que nos vangloriemos de feitos que realmente praticamos já é algo duvidoso. Agora, gabar-se de feitos inexistentes é pura tolice. **Vivemos a fusão romântica como excepcional com o intuito de conciliar nossos anseios de individualidade com a necessidade de fusão que atenua o desamparo de nossa condição. O amor é apenas um remédio para nosso maior mal: o de nos sentirmos fração quando somos, de fato, unidade. A vaidade é um importante ingrediente de nossa sexualidade, que se torna mais relevante ainda porque nos atenua outro grande mal: o de nossa insignificância. Ao nos encantarmos com dada pessoa, que vemos como uma obra-prima da Criação, nos sentimos completos graças a sua presença e vivemos uma experiência considerada excepcional e única, que é igual a todas as outras histórias de amor. Podemos, no máximo, nos sentir orgulhosos, envaidecidos e superiores por termos tido a ousadia de viver aquilo que todos anseiam e que apenas alguns têm a coragem de vivenciar.**

O que podemos dizer da paixão? Acho que uma boa forma de iniciar sua abordagem é dizer que ela corresponde a um estado de enamoramento que se prolonga por mais tempo do que as poucas semanas que lhe são habituais. Por que isso acontece? Quase sempre porque existem obstáculos externos que deverão ser superados. Por exemplo, as pessoas ainda têm relacionamentos anteriores mal resolvidos, ou terão de enfrentar problemas sociais derivados de diferenças de idade, de condição social etc. Assim, o enamoramento não pode evoluir no tempo usual para a paz e o aconchego, porque tais obstáculos determinam um atraso nos planos de vida.

Isso é o que se pode observar em uma primeira abordagem. Uma análise mais acurada mostra que os impedimentos externos são de relevância duvidosa; os maiores problemas são internos, subjetivos. Um importante componente do fenômeno amoroso corresponde ao fator antiamor, ou seja, ao medo que sentimos diante da possibilidade de efetiva fusão com outra pessoa, de nos diluirmos, de nos perdermos nela. A idéia é atraentíssima, porque nos provoca a ansiada sensação de completude, mas também apavorante, pois nos faz temer a perda da identidade conquistada a tanto custo. **No caso da paixão, quase sempre o enamoramento é particularmente mais intenso — sim, porque devemos pensar em graus variáveis de intensidade dessa emoção —, a ponto de, portanto, ativar um enorme medo quanto a sua consumação. Assim, o fato de existirem obstáculos externos passa a ser uma vantagem, pois a eles, e não ao medo, podemos atribuir a lentidão do encaminhamento da relação a um elo mais estável.**

Na prática, a paixão corresponde à melhor possibilidade de fusão romântica associada ao medo de sua concretização. É claro que tendemos a considerar um absurdo o medo de uma coisa assim boa e ansiada. Preferimos, então, atribuir a não-consumação a fatores externos, bem-vindos pretextos que podem encobrir, para ambos os envolvidos, os vergonhosos temores. **Em uma ponderação mais acurada, podemos perfeitamente inverter o sentido de nosso pensamento e considerar a ânsia de fusão uma regressão disparatada e, de fato, ameaçadora. Nesse caso, o medo está justificado e não faz outro papel senão aquele para o qual foi destinado pela natureza: preservar nossa integridade. O fato é que, no dilema entre o medo e o desejo de fusão, quase sempre quem vence é o medo. Insisto em que não podemos deixar de considerá-lo com respeito.**

Minha experiência pessoal acompanhando casais que ousaram viver a aventura da fusão romântica é a seguinte: a fusão e a despersonalização são mais simbólicas do que factuais; nem poderiam deixar de sê-lo, pois não podemos "desnascer" e penetrar na barriga do amado. O medo da fusão desaparece relativamente rápido. Diminui também o medo de perder a pessoa amada, o qual costuma ser maior do que o usual, não porque tememos ser substituídos, mas sim por sabermos que ela poderia tomar a decisão de fugir por não suportar a idéia da fusão. **Quando o relacionamento evolui para a vida em comum, dá origem a uma ótima relação amorosa, na qual a paz e o aconchego são muito vigorosos e gra-**

tificantes. Aqui também se vive a plácida planície que vem depois das tortuosas curvas do caminho, condição que pode ser encarada como perda de intensidade apenas por aqueles que não se familiarizaram adequadamente com o verdadeiro significado do fenômeno amoroso. A paixão, intenso enamoramento, se torna, quando se concretiza, um bem-sucedido amor, ou seja, determina um forte aconchego e uma enorme paz.

Mesmo sabendo que não vou agradar àqueles amantes do sonho romântico com final feliz, devo declarar que o amor bem-sucedido — fusão bilateral e sincera — também tem problemas de difícil solução. Não podia ser de outra forma: todo remédio tem efeitos colaterais. **Como na vida real a fusão propriamente dita não acontece, já que duas pessoas não podem se tornar uma só, acaba se estabelecendo uma luta pelo poder, pois cada membro do par quer decidir o rumo que o casal seguirá. Pretendem ir juntos, mas ao destino que cada um quer.** Não desejam se desgarrar, e sim viver como se fossem siameses; tampouco querem ser contrariados em suas vontades individuais. Não há maldade ou desejo especial de exercer o poder: trata-se apenas da individualidade querendo ser exercitada em concomitância com a fusão romântica. Aliás, esta última, ao proporcionar o remédio para nosso vazio interior, exacerba imediatamente os anseios da individualidade, que, agora, pode pretender atuar sem muito sofrimento. Só que isso acontece em ambos os membros do casal, daí o conflito.

Como o outro é nosso indispensável remédio, torna-se difícil imaginar que não tenhamos tendências possessivas, exclusivistas, nem tentemos coibir alguns de seus movimentos, aqueles que nos pareçam mais ameaçadores. Em outras palavras, **tendemos a dificultar o surgimento de todas as circunstâncias nas quais nosso amado possa cruzar com outra pessoa que talvez lhe pareça interessante. Certamente, trata-se de uma missão impossível, mas nem por isso deixamos de tentar exercer esse aborrecido controle sobre o outro. É aborrecido quando somos controlados, mas nos parece um ato indispensável quando somos nós que controlamos.**

Esses dois importantes problemas presentes nos bons relacionamentos amorosos não são os únicos, e sobre todos já me aprofundei no livro *Uma nova visão do amor*. **Aqui eles apenas servem para introduzir um novo elemento para a reflexão: quanto de nosso relacionamento amoroso é, de fato, interpessoal? Qual o efetivo papel e importância do outro no relacionamento amoroso? Quanto o outro existe para provocar em nós as boas sensações associadas a esse sentimento?**

No caso do instinto sexual, poucas são minhas dúvidas de que se trata de um fenômeno essencialmente pessoal, do qual o outro participa como desencadeador de excitações visuais, como provocador de estímulos táteis ou como indutor de excitação por meio dos jogos mentais relativos à sedução. Tenho afirmado que o momento do clímax sexual corresponde a uma intensidade de desequilíbrio físico, ainda que prazeroso, que transfe-

re toda a nossa atenção para o interior de nós mesmos, assim como uma dor intensa. A vaidade se exerce atraindo os olhares dos admiradores, mas interessa pouco saber quem são eles. A mulher que se arruma muito para ir a uma festa quer chamar a atenção de todas as pessoas e provocar o desejo de muitas delas. Nada que não esteja fundamentalmente relacionado com seu prazer pessoal, que apenas necessita da presença dos outros para se manifestar — porque ninguém se empenharia em se embelezar tanto para ficar sozinha em casa.

No amor acontece o mesmo? Ou o outro, com suas peculiaridades e anseios pessoais, efetivamente conta? Uma maneira de iniciar essa reflexão pode ser a seguinte: quando o outro é remédio essencial para nosso desamparo, fica difícil respeitar as diferenças de opinião e de comportamento que inevitavelmente surgem durante o convívio. Isso porque **cada divergência nos recorda que o outro não é uma continuação de nós, que ele tem vida independente da nossa, que somos fração, e nos relembra a condição de desamparo da qual estamos tentando nos livrar por meio do remédio da fusão amorosa. Em virtude disso, tendemos a ser muito intolerantes com as divergências. Seria melhor se elas não existissem.**

Ao menos no nível ideal, nosso objeto de amor romântico deveria ter pontos de vista, gostos e anseios idênticos aos nossos. Teria de ser, de fato, uma metade igual a nós, ou então fingir sê-lo, ou, ainda, se descaracterizar a ponto de deixar de ter qualquer tipo de opinião, tornando-se uma criatura muito parecida com a que é o animal de estimação, que, como sabemos, tem tido muito sucesso como substituto do parceiro humano. **Esse ângulo da abordagem nos leva a uma observação do amor como um fenômeno muito semelhante ao sexual, em que o outro estaria basicamente a serviço de nossos anseios individuais.**

O mesmo aspecto pode ser observado na solução de certos dilemas individuais quando usamos o amado como depositário de um dos lados de nossa dualidade. Por exemplo, um homem idealista que se envergonhe de seu lado materialista poderá se ligar a uma mulher ambiciosa e, por ser generoso e gostar de agradá-la, realizar seus anseios materiais por meio desse disfarce. Estará usando a mulher para exercer suas pretensões consideradas menos nobres. Aqui podemos pensar em tudo, menos em uma relação efetivamente interpessoal, na qual o outro conta e é respeitado. O outro está sendo mesmo é usado, ainda que seus verdadeiros anseios sejam satisfeitos. A verdade é que agradar ao amado é, em muitos casos, a parte menos relevante nesses processos.

Assim, é importante percebermos que, ao menos em parte, amamos porque queremos sentir plenitude e aconchego, ou seja, por razões estritamente pessoais. O outro deverá nos provocar essas sensações a qualquer custo, mesmo que esteja se privando de seus pontos de vista e de alguns de seus projetos individuais. Amamos porque gostamos do resultado desse sentimento em nossa vida. Em certas horas, amamos a sensação mais do que a pessoa que a determina. Tanto isso é verdade que existe, como no sexo, o equivalente amoroso da masturbação. Muitas pessoas — e todos nós no início da vida adulta — amam em fantasia. Adoram estar "apaixonadas" por alguém que pretendem conquistar ou que mal conhecem. Gostam muitíssimo de ouvir músicas românticas e sentir as emoções correspondentes. O outro nem sabe que está sendo o estímulo para tais devaneios obviamente pessoais. Assim, o sentimento que chamamos de amor pode ser vivenciado como fenômeno pessoal.

É evidente que, nas relações afetivas, o outro acaba contando também por suas reais propriedades. Tem o poder de nos alegrar ou entristecer com seus comportamentos e com seu estado de alma. Dependemos dele para a definição de nosso estado de espírito. Preocupamo-nos com o outro, queremos o melhor para ele, desde que isso não nos pareça uma ameaça, e muitas são as vezes em que abrimos mão de nossos interesses para agradá-lo ou ajudá-lo. Nesses momentos e naqueles em que o estamos ouvindo com atenção e tentando perceber o que se passa dentro dele, estabelecemos também uma intimidade que pode efetivamente ser chamada de interpessoal.

Na vida cotidiana, os momentos de interpessoalidade verdadeira se alternam com outros nos quais os elementos individuais, relacionados com nossos anseios pessoais, predominam. Cabe ponderarmos com mais profundidade sobre a origem dos aspectos verdadeiramente interpessoais.

AMIZADE E +AMOR SÃO FENÔMENOS INTERPESSOAIS

A primeira questão é exatamente esta: se nem o amor nem o sexo são fenômenos de fato interpessoais, será que eles existem, ainda que excepcionalmente, como tais? Em caso afirmativo, de onde, de que parte de nossa subjetividade, de que instância de nosso psiquismo deriva esse caráter interpessoal? Quais são os fenômenos efetivamente interpessoais presentes em nossa vida anímica? Eles estão na maneira de viver de todas as pessoas, em todas as circunstâncias? Como podem observar, sempre me é mais fácil fazer um rosário de perguntas do que conseguir respostas definitivas a elas. No entanto, temos de tomar mais cuidado com as perguntas, pois, quando as fazemos de modo inapropriado, acabamos por nos perder em respostas que não podem deixar de ser torpes. No caso das boas perguntas, mesmo quando as respostas encontradas forem inadequadas, estaremos a caminho de outras melhores. E, se não as encontrarmos, outros virão, saberão rever nossos erros e retomarão a rota do ponto em que nos perdemos.

Se considerarmos interpessoais os fenômenos de interação que levam em conta o outro e suas aspirações, perceberemos que são próprios apenas de nossa espécie. Os animais interagem apenas em decorrência de suas peculiaridades instintivas — como é o caso das formigas e das abelhas — ou em defesa de seus anseios pessoais — as brigas entre cães por causa de uma cadela são um exemplo entre tantos outros. Dessa forma, podemos pensar que a interpessoalidade verdadeira depende de algo que nos seja peculiar e único. O que temos a mais é a força de nosso cérebro, geradora de nossa capacidade racional.

A interpessoalidade depende da capacidade de nos colocarmos no lugar do outro, de tentarmos nos transportar para o cérebro do outro. Nem sempre alcançamos essa sofisticada função da razão. Muitas são as vezes em que confundimos o que faríamos se estivéssemos no lugar do outro com aquilo que podemos ou devemos esperar dele em determinada situação. Nesse caso, colocamo-nos no lugar do corpo do outro, mas nele estamos injetando nossa alma, nossa subjetividade, pensando com o corpo dele, mas com nossa cabeça. Naquele que implica efetiva interpessoalidade, tentamos entrar no sistema de pensamento do outro, nos apropriar de seu modo de ser, de sua formação, de seus valores, para poder refletir como ele resolveria algum problema ou dilema que seja parte de sua vida.

A essa capacidade de tentar entender como opera o "computador" do outro, penetrar em suas peculiaridades subjetivas, é que podemos chamar de empatia. Colocar-se no lugar do outro com procedimentos do tipo "eu, no lugar dele, jamais agiria dessa forma", ou, pior ainda, "eu não reajo assim, de modo que não esperava que ele procedesse dessa maneira", é não ser capaz de reconhecer que somos todos diferentes e que, portanto, não somos o padrão para avaliar o modo de pensar e de agir do outro. É não ser capaz de se reconhecer como único, cuja subjetividade não é igual à de ninguém mais.

Por que nós, que geralmente adoramos ser especiais e únicos, temos tanta dificuldade em aceitar essa propriedade, a de que nosso cérebro é diferente de todos os outros? Nossa vaidade não se vangloria desse nosso efetivo destaque porque alguma outra peculiaridade de nosso mundo interior lhe é antagônica e mais poderosa. **O que pode ser mais poderoso até do que a vaidade é nossa incapacidade de nos percebermos sozinhos, abandonados, desamparados. Sim, porque, se nossa forma de pensar não é igual à de ninguém mais, temos de concluir, entre outras coisas, que não existe a metade ideal com a qual sonhamos nos unir para deixarmos de nos sentir fração e passarmos a nos sentir unidade. Se pensamos de modo único, estamos definitivamente condenados à solidão.** Optamos por nos iludir com a idéia de que nossas diferenças individuais são mínimas, e isso nos leva a sucessivos erros de avaliação sobre o que está acontecendo na mente do outro. Preferimos minimizar nossas diferenças, e então podemos nos sentir aconchegados pela presença de nossos "irmãos". Preferimos isso a nos orgulharmos e a nos destacarmos como criaturas especiais e únicas.

Tentamos, é verdade, encontrar algum tipo de consolação para a vaidade. Assim, procuramos nos fazer "quase" iguais, de modo a nos destacarmos pelos detalhes. Todos usamos determinado tipo de roupa; no entanto, existem sutilezas que devem ser o mais explícitas possível, que indicam alguma peculiaridade rara daquela roupa, bolsa, carro etc. Pode ser que a vaidade se expresse desse modo tão medíocre por nos sentirmos frustrados em razão de nossa incompetência para o exercício da verdadeira excentricidade, que está ligada ao fato de sermos intelectualmente únicos e, portanto, solitários. Dediquei o último ensaio deste livro à discussão mais minuciosa da questão da solidão humana.

Fiz esse rodeio todo para chegar a esta frase: acredito que só podem estabelecer relações efetivamente interpessoais aqueles que estiverem em condições de se reconhecer como unidade, se aceitar como criaturas essencialmente solitárias, cujo modo de ser e de pensar não serve para avaliar as outras pessoas. O aparente paradoxo de que o indivíduo que se basta é justamente aquele que pode se relacionar de forma verdadeira com os outros se explica com facilidade. Os que não se aceitam como indivíduos solitários vêem nos outros remédio para seu desamparo, ao passo que os que se aceitam sozinhos já sabem que os outros não podem servir para tal fim. Os que percebem os outros como remédio para seus males interagem com eles sempre levando em conta suas enormes necessidades pessoais.

Os exemplos muitas vezes falam mais alto. Para que uma mãe viúva fique feliz com o casamento de seu filho, é preciso que tenha a capacidade de existir como criatura solitária; caso contrário, poderá até dizer que está contente, mas por dentro estará pensando: "E agora, como é que eu fico?" É o interesse pessoal que prevalece quando se é dependente, o que é sinônimo de não poder se reconhecer como pessoa autônoma. Para um marido poder ficar contente com o fato de sua mulher ter encontrado uma boa colocação profissional, é imprescindível que o temor que ele tem de perdê-la — interesse pessoal — seja menor que o desejo de vê-la realizada. Esse é o tipo de força pessoal que pode existir apenas naqueles que suportam a dor do desamparo e já compreenderam que, na essência, somos todos solitários.

Só pode ficar feliz com o que é bom para aqueles com os quais está ligada a pessoa que não teme tanto ser abandonada por eles, porque sabe que é capaz de resistir a qualquer tipo de dor relacionada com a solidão. Isso por uma razão simples: somos todos, de fato, seres solitários, uma vez que nosso cérebro é único e nossa comunicação precária. Esse é o ser humano forte. E, por sê-lo, também será o menos invejoso; sim, porque outro ingrediente que perturba muito nossa capacidade de nos regozijar com o sucesso dos que nos são próximos é o fato de que a inveja nos invade mesmo quando não gostaríamos que isso acontecesse. Não seremos exageradamente invejosos apenas se estivermos razoavelmente bem com nós mesmos.

Assim, só pode ver o outro como ele é — e não como gostaria que ele fosse para melhor servi-la — a pessoa que não precisa dele para sua sobrevivência física ou emocional. Às vezes, penso que o egoísta necessita dos outros para a sobrevivência física, ao passo que o generoso precisa dos outros para a sobrevivência emocional. Nesse tipo de raciocínio, a generosidade seria apenas a versão requintada e disfarçada de uma fraqueza parecida.

Aquele que se reconhece como inteiro, apesar de se sentir uma fração, ama? Se entendermos como amor o sentimento que se acopla à tendência para a fusão e, por meio dela, preenche o que nos falta, então o "inteiro" não ama, ou, pelo menos, não deveria. Todavia, temos dentro de nós forte propensão para esse tipo de regressão, de modo que teremos de lutar permanentemente contra a força que nos impulsionaria para a fusão indesejada. Ela é indesejada, apesar de muito agradável, porque seus desdobramentos são absolutamente previsíveis e já conhecidos daqueles que chegaram a esse estágio de evolução emocional: uma vez estabelecida a fusão, o outro existe para me completar e vice-versa; qualquer movimento dele — ou meu — que esteja em desacordo com minha expectativa — ou a dele — fará surgir aquela dolorosa sensação de decepção de que ele não é — ou eu não sou — exatamente o que eu pensei — ou ele pensou que fosse, de que definitivamente não me sinto plenamente feliz ao lado dele — ou ele do meu. A meu ver, nesse caso, o que tem de prevalecer é a força de nossa razão, que deverá se sobrepor a nossas sensações e nortear nossas condutas. Nossas idéias, quando claras, podem nos ajudar a agir de acordo com o que consideramos o melhor para nós mesmos quando existe algum tipo de oposição interna. Não é sempre que temos o prazer de agir em virtude de uma decisão unânime de todas as partes íntimas que nos compõem; muitas são as vezes em que nos comportamos de acordo com uma decisão tomada por maioria simples, vale dizer, com forte oposição interna.

O relacionamento mais característico dessa verdadeira interpessoalidade que estou tentando descrever corresponde ao que chamamos de amizade. Quase ninguém conseguiu se entender com sua sensação de incompletude, de modo que como fração busca encontrar a parte que lhe falta. Tal fenômeno, o do amor romântico, acontece em um setor da vida afetiva da pessoa. Em paralelo com a busca dessa fusão que provoca a sensação de completude, ocorrem outros relacionamentos com aquelas pessoas que já foram excluídas da lista das possíveis para o encaixe romântico. Foram excluídas porque não eram do sexo desejado porque não correspondiam ao tipo físico capaz de despertar o desejo, por causa de diferenças raciais, etárias ou de nível intelectual, ou ainda por razões vagas que desconhecemos.

Mesmo reprovadas para o papel de complemento, algumas pessoas nos proporcionam, com sua presença e modo de ser, uma adorável sensação de bem-estar e prazer. Esse tipo de gostar — que não pretende muito mais do que a companhia, a troca de idéias sobre todos os temas, as boas risadas e o suave calor derivado das lembranças de vivências em comum — corresponde à essência da amizade. As afinidades são a base dessas relações, nas quais as semelhanças na forma de pensar nos fazem sentir menos solitários. Essa é uma característica que nem sempre está presente na fusão romântica e que, mais ou menos rapidamente, fará muita falta. Não são raras as pessoas que preferem falar com os amigos mais chegados a conversar com seu cônjuge. É claro que somos únicos e solitários, mas também que alguns cérebros desenvolvem um modo de operar mais parecido com o nosso do que outros.

Essa afinidade na forma de pensar é talvez o que há de mais essencial nas amizades. As semelhanças, que são o máximo que se pode pretender entre duas pessoas, pois as "almas gêmeas" não existem, determinam a construção de uma ponte entre duas ilhas solitárias, de modo a nos provocar uma enorme e verdadeira sensação de estarmos sendo entendidos, de o outro usar as palavras com um sentido muito parecido com o que empregamos. **Se o amor estabelece um aconchego físico, a amizade determina um aconchego intelectual. Se o primeiro é infantil, regressivo, a última é a mais sofisticada expressão de nosso desenvolvimento intelectual.**

Na infância, os amigos não são escolhidos nem deveriam ser chamados por tal nome. São colegas, tanto os de classe como os que moram na vizinhança. A diferenciação intelectual é acompanhada pela diferenciação nos processos de escolha das amizades. Esse é mais um argumento a favor da idéia de que as amizades têm relação direta com as afinidades intelectuais. As amizades da adolescência e do início da fase adulta costumam durar ao longo da vida. Com os anos, torna-se difícil a constituição de novos elos desse tipo em razão do caráter cada vez mais competitivo próprio de nossa vida social. Nessas condições, em que a disputa é tão intensa, infelizmente a inveja prevalece sobre quase todos os outros sentimentos, de sorte que só pessoas com mentes parecidas e evoluções profissionais e materiais semelhantes conseguem usufruir esse que talvez seja o mais gratificante modo de convívio entre os humanos.

Nas amizades, as trocas são sinceras e desinteressadas. Não existe a idéia de que o outro nos salvará de nenhum tipo de dor ou desespero. O outro não é parte de nós. Ele tem vida própria e é respeitado como tal. Não cabe, pois, nenhum tipo de atitude dominadora e muito menos aquelas que tendem a restringir o direito às livres decisões do outro a respeito da própria vida. Temos de ser cautelosos para não ofender o amigo. Só emitimos opinião sobre suas atitudes quando somos solicitados a isso. Não nos sentimos com "direitos", como costumam sentir os que se amam e os parentes próximos — pais, filhos e irmãos.

O amigo é tratado como "outro" indivíduo e não como parte nossa. Ao pensarmos em suas atitudes, tentamos refletir sobre que desdobramentos terão no futuro dele. **No amor, como não existe o "outro" — que é fração de nossa unidade —, pensamos em suas atitudes levando em conta, primeiramente, o desdobramento delas em nós e em nosso futuro.** Essa é a diferença entre um comportamento pessoal e aquele que pode ser efetivamente interpessoal e entre a verdadeira generosidade — talvez menor — e a que observamos no amor, em que o interesse e as necessidades individuais se escondem por trás de todas as atitudes e belas palavras.

É evidente que a vaidade não poderia estar ausente desse tipo de relacionamento. Orgulhamo-nos de sermos amigos — especialmente se íntimos — de pessoas respeitadas e valorizadas no meio em que vivemos. Não nos sentimos ameaçados pelo sucesso de nosso amigo. Ao contrário, vemos isso com simpatia, pois aumenta nosso prazer. Isso quando a praga da inveja — subproduto da vaidade, de máxima intensidade em uma sociedade tão competitiva — não nos impede de ficarmos felizes por tudo que não for nosso progresso.

Quero insistir em que o que caracteriza e diferencia a amizade do amor não é a inexistência de trocas eróticas. Estas poderiam até existir nas amizades se não tivéssemos essa mentalidade a respeito do que pode ou não ser feito em termos sexuais — e que ainda terá de ser objeto de muitos estudos, sobretudo em suas implicações sociais e culturais. **O que caracteriza a amizade é, antes de tudo, seu caráter de afinidade intelectual, provocando um tipo de aconchego também intelectual, enquanto o amor determina aconchego físico, muito menos discriminado e no qual as afinidades podem ou não existir.**

A outra diferença básica é com relação à postura que temos diante do amor e da amizade. Na busca amorosa, desejamos encontrar alguém que nos complete, com quem tenderemos a nos fundir "em uma só carne", de sorte que esse "outro" deixará de sê-lo para se transformar em uma parte de nós. O caráter possessivo e manipulador do amor deriva, pois, de suas peculiaridades, da forma como o sentimento é buscado, do modo como pensamos sobre ele. **Nas amizades, o "outro" existe como tal e assim persiste. Nossa sensação de incompletude, mesmo que ainda forte, não pretende se resolver por meio desse relacionamento, de modo que o amigo é alguém a quem se pode dedicar a consideração própria da individualidade que exige respeito e que respeita a do outro.** No amor, as trocas são vitais e, nas amizades, que obviamente podem ser múltiplas, elas são muito prazerosas, mas não necessárias. **No amor, estamos no domínio da necessidade e, nas amizades, vivemos o domínio do desejo.**

Espero ter esclarecido meu ponto de vista: a amizade corresponde a uma interação respeitosa e profunda entre duas criaturas autônomas que se reconhecem como semelhantes no tocante aos valores éticos e no modo como pensam sobre as coisas da vida em geral. Trata-se de um tipo de relacionamento que também nos provoca aconchego. Nisso aproxima-se do amor. Este, porém, é bem menos sofisticado, pois é uma construção que tenta passar por adulta, mas que busca inspiração em nossas primeiras experiências de vida. Nele não está presente o respeito, pois o outro é tratado apenas como uma extensão de si mesmo, como uma parte sobre a qual se tem direitos.

Assim, penso que existe um abismo separando o amor da amizade. As diferenças entre esses dois sentimentos não são de natureza quantitativa — o amor é tido como mais intenso —, e sim qualitativa. O amor é a reprodução de um molde infantil, já a amizade corres-

ponde à sofisticada aproximação entre dois indivíduos razoáveis e racionais que se reconhecem como portadores de afinidades e que gostam de trocar suas vivências e pontos de vista. Quando a valência do amor está preenchida em uma relação que lhe é própria — em que a possessividade, o desejo de dominação e o ciúme são os efeitos colaterais inevitáveis desse remédio para o desamparo —, muitos são aqueles que se vêem livres e suficientemente fortes para estabelecer, com terceiros, as boas relações que caracterizam as amizades.

Estou me referindo às relações que realmente merecem ser chamadas de amizade. Muitas pessoas usam a palavra levianamente, o que também acontece com o amor. Os que confundem os autênticos amigos com os colegas e conhecidos não sabem distinguir o verdadeiro do falso brilhante. Banalizam aquela que talvez seja a expressão mais sofisticada de nossa capacidade afetiva.

E não se pode estabelecer um relacionamento afetivo mais sofisticado do que o do amor, uma vez que este é indiscutivelmente menos requintado do que a amizade? Acho que sim, desde que se abandone a idéia de que o que falta deverá vir de fora e trazido por alguém. Isso corresponde à renúncia ao amor romântico — o da fusão — e à busca de um tipo de solução para nossa vida afetiva que nos custe menos caro.

Pessoalmente, acho que os elos estáveis podem ser mais próximos da amizade do que do amor como o temos vivido e louvado. É preciso, primeiramente, que se aprenda a conhecer as características desses sentimentos, que, apesar de provocarem o desejado aconchego, são de naturezas muito diferentes. E só agora temos conseguido nos apropriar desse saber. É preciso que nos posicionemos contra nossa tendência para a fusão romântica, do mesmo modo que temos de lutar contra o impulso que porventura tenhamos de nos apegar a algum tipo de droga. A cocaína, por exemplo, provoca efeitos agradáveis nos momentos que sucedem a seu uso. Temos de pensar nos desdobramentos em médio e longo prazos e nos efeitos negativos da droga se quisermos formar um juízo mais preciso sobre o assunto.

Não estou exagerando, tampouco a metáfora — sempre perigosa, pois costuma ser uma forma de conduzir o raciocínio para um fim previsto e desejado — é indevida. A fusão romântica é muito prazerosa, tida como o que de mais profundo pode unir duas pessoas. Isso é verdadeiro em um primeiro momento, pois se trata de uma união que acaba por se opor a nossa individualidade, da qual, contudo, também gostamos e precisamos. O dilema não tem soluções boas; é nesse ponto que o amor começa a dar sinais de ser uma precária solução para nossa necessidade de aconchego. Em médio e longo prazos, a fusão romântica determina o encolhimento, a opressão e o afogamento de pelo menos uma das duas individualidades envolvidas. **Entretanto, não podemos nos iludir: somos atraídos pela fusão, somos tentados a ela do mesmo jeito que o alcoólico é atraído por um copo de bebida. Já nascemos "viciados" em amor. Trata-se de um fenômeno quase biológico, uma espécie**

de reflexo condicionado que se estabeleceu nos primeiros instantes de vida e que nos acompanha ao longo dos anos. O fato de ser um impulso assim forte não significa que devamos obedecer a ele e muito menos que seja obrigatoriamente uma coisa boa.

Ao nos livrarmos dessa ilusão, desse vício relacionado com o amor romântico, perceberemos que o caminho da paz efetiva e do verdadeiro encontro entre criaturas que se orgulham de ser o que são só pode ser o da aproximação entre dois inteiros; é como acontece entre os amigos, ainda que estes, muitas vezes, sejam fração em suas relações amorosas. As pessoas que perderam o medo de se reconhecer como solitárias, que se deram conta de que essa é uma característica inerente a nossa condição, que perderam as ilusões românticas — as de que poderiam se resolver por meio do outro — não querem mais saber de abrir mão de sua individualidade, de vender sua alma ao diabo, nem mesmo em nome do mais belo sonho de amor. Passam a se opor visceralmente à fusão. Não conseguiriam se despersonalizar nem que o desejassem; talvez isso acontecesse por uns momentos, mas logo em seguida se iniciariam os trabalhos para o resgate do eu.

Pensar na aliança afetiva entre duas pessoas como algo que transcende a fusão romântica e se aproxima das mais elevadas formas de interação entre adultos que suportam bem suas incompletudes – a ponto de não mais cogitarem a idéia de que outro as resolverá – é a seqüência natural para aqueles que vão evoluindo como indivíduos. Tais pessoas ainda são poucas, pois não temos sido estimulados na direção dessa evolução; para elas, ou será possível o estabelecimento de uma aliança respeitosa ou não acontecerá nada. **Não adianta continuarmos a nos iludir: o respeito não é possível no contexto da fusão romântica; não deixaremos de tentar controlar o outro se ele for indispensável para nossa sobrevivência física ou emocional.** Só poderemos ser respeitosos se formos capazes de nos bastar; isso significa sentir e suportar com dignidade o "buraco" que insiste em se instalar em nosso abdome.

Indubitavelmente, todas as relações afetivas do futuro serão desse tipo. As pessoas viverão regidas por um elo que transcende o amor, que é para além do amor, mais que o amor. Por respeito ao peso que atribuímos à palavra "amor" e para marcar o sentimento que unirá as pessoas inteiras, que se aproximarão e não mais tentarão se fundir, chamei isso, que é muito mais próximo da amizade, de "mais que amor" ou, simplificadamente, "+amor". Os que não forem capazes de se relacionar sem achar que os outros têm de estar a seu serviço tenderão a ficar sozinhos. E, ao viverem pelos próprios meios por uns tempos, terão naturalmente aprendido a viver melhor sozinhos. Sentir-se-ão orgulhosos e talvez jamais voltem a desejar outros elos que poderão ser nocivos a sua nova aquisição: uma boa auto-estima.

O +amor é muito parecido com a amizade e tem, como o amor, a característica de ser importante fonte de aconchego e paz. As pessoas que gostam de se enamorar e de viver o amor como uma aventura ficarão ainda mais aterrorizadas com o possível tédio e monotonia que viverão os que se unem dessa forma respeitosa e estável. A elas cabe a seguinte observação, que talvez seja estimulante para que façam suas reflexões: a emoção e a aventura que muitos esperam do amor talvez possam muito bem existir na vida de cada indivíduo. Em vez de me entreter com as intrigas e futricas da interação que tenho com outra pessoa, talvez possa encontrar temas de interesse e paixão exclusivamente meus. Não posso deixar de observar, no processo de enamoramento, o outro sendo tratado como uma espécie de marionete, de joguete, a serviço do próprio entretenimento; e é o que vejo mesmo quando a recíproca é verdadeira. A aventura de viver pode muito bem ser vista como individual; as amizades e o +amor são uma parte da vida que tem relação com aconchego e com toda a sorte de trocas intelectuais e operacionais.

ALGUMAS CONSIDERAÇÕES COMPLEMENTARES

Acredito que, além das amizades e do +amor, existe mais um modo de interagir com o meio que é efetivamente interpessoal, o que vale dizer que levamos em conta os outros como são e que tentamos nos comportar de forma respeitosa e construtiva em relação a eles. Refiro-me agora à solidariedade, a essa nossa capacidade de nos preocuparmos com as pessoas, mesmo que com elas não tenhamos tido nenhum tipo de aproximação pessoal. A solidariedade se manifesta de forma coletiva e por meio dela nos preocupamos com o destino de um povo e mesmo do planeta — é lógico que nesses casos estamos inclusos, de modo que o interesse que possamos ter pelo coletivo também diz respeito a nossa pessoa. Mas muitas são as situações em que nos preocupamos com eventos que não têm nada que ver com nossos interesses individuais.

A capacidade de abstração nos propicia uma visão global tanto de nossa condição como das outras criaturas que habitam a Terra. A preocupação com os que nos cercam pode se dar apenas em virtude de nossos interesses pessoais ou em nome de uma genuína preocupação com o todo. Apenas quando esse último ingrediente predomina é que devemos pensar que estamos diante do sentimento de solidariedade. O cientista que se preocupa com os benefícios coletivos de sua obra mais do que com suas glórias pessoais é uma criatura solidária. O mesmo vale para o político. Nos casos de pessoas que se destacam, é sempre indispensável isolar o ingrediente de vaidade, por meio do qual os outros — mesmo seu bem-estar — são o pretexto para a expressão de excepcionais virtudes pessoais que buscam reconhecimento.

Quando pessoas comuns se preocupam com o destino do planeta, quando se dedicam a uma atividade buscando não o reconhecimento, mas o bem-estar de umas tantas pessoas, estamos diante de atos solidários. Aquele que vivencia esse sentimento sente-se aconchegado, integrado àquela comunidade que ajuda a construir e a preservar. A solidariedade, sentimento que é parte do fenômeno amoroso, está na raiz de nos-

sas genuínas ações e preocupações com o social. Integra-nos a nosso grupo de referência, a nosso povo. Faz que sejamos parte de um bairro, de uma cidade, de um país, de um planeta. Os avanços alcançados por nosso grupo, mesmo quando disso não tiramos proveito pessoal, nos alegram.

De fato, só poderá ser verdadeiramente solidário quem estiver razoavelmente bem equacionado em sua vida interior. As pessoas inconformadas com sua incompletude só são capazes de ver o que as cerca como um universo do qual têm de tentar sugar algo para preencher suas lacunas. O que as rodeia existe apenas como manancial, do qual tentarão extrair o que necessitam — e quanta coisa necessitam! A inversão desse processo — poder se preocupar de verdade com o que acontece fora de nós e longe de nossos interesses — é algo que requer um importante desenvolvimento pessoal. Quando já somos capazes desse tipo de visão, por meio do qual podemos fazer transbordar nosso interesse pessoal, sentimos uma enorme alegria íntima por termos essa sobra, essa disponibilidade que nos permite alguma forma de dedicação ao meio. Então, da consciência de que temos essa força interior deriva um alimento essencial para nossa auto-estima, condição impossível para os que só vêem o mundo exterior como fonte para dela beber.

A generosidade presente na solidariedade se distingue da generosidade que se observa em certas relações afetivas. Nestas, como já registrei, muitos são os casos em que o ato de dar tem por objetivo garantir o amor e

a dependência daquele que recebe; pode mesmo ser entendido como um modo disfarçado de egoísmo. No ato solidário, o dar é gratuito; não visa a nenhum tipo de recompensa nem mesmo está diretamente ligado aos benefícios da vaidade. Podemos tentar fazer uma distinção entre esse tipo de dedicação e a generosidade própria das relações mais íntimas chamando o dar relacionado com a solidariedade de altruísmo. Quem age de modo altruísta sente-se bem em sua auto-estima e feliz por poder participar daquele grupo no qual a ajuda acontece. A isso está ligado o aconchego, o que, por si só, é uma recompensa mais do que interessante.

Os sentimentos de solidariedade que podemos desenvolver por grupos fazem parte do fenômeno amoroso, em que experimentamos a agradável sensação de aconchego quando nos sentimos integrados a algo maior, parte de um todo que nos contém. Não me parece difícil imaginar que sua origem seja a mesma da que suponho ser a do amor: conservamos algum tipo de registro relativo a nossas primeiras sensações como seres vivos, de maneira que nos percebemos desgarrados de um todo maior, algo parecido com o que acontece com os planetas que se desprendem na explosão de uma estrela. Sentimos grandes dores quando nos desgarramos e aconchego ao nos aproximarmos da "estrela" que nos gerou.

Tal "estrela" é simbolizada por nossa mãe, e essa é provavelmente a primeira e mais forte sensação; daí deriva o desejo de nos reconstruirmos com ela e, mais tarde, com uma figura humana especial que venha a representá-la. Ela pode ser percebida também de forma mais vaga e ampla, de modo a existir em nós um anseio de integração a qualquer coletivo que nos englobe. É como se desejássemos reconstruir aquele estado indiferenciado no qual éramos apenas uma ínfima parte de um todo único. **Esse desejo de retornar ao estado indiferenciado pode ser entendido como parte do que Freud chamou de instinto de morte. No entanto, penso que seja muito mais adequado relacioná-lo com algum tipo de vivência anterior ao próprio nascimento ou que tenha acontecido por volta desse episódio. Sentir nostalgia de algo que já foi vivenciado faz mais sentido do que buscar a morte, que é desconhecida.**

A integração com grupos humanos definidos, identificados por uma língua, usos e costumes comuns, dá origem aos sentimentos nacionalistas; todos conhecemos o calor e o prazer que advêm de nos sentirmos parte de uma pátria, de um solo comum. A sensação de aconchego que isso nos causa, quando associada ao sentido moral de não querermos apenas nos beneficiar do que nos cerca, nos leva a procedimentos construtivos em relação aos grupos aos quais nos integramos; essa talvez seja a constituição básica da solidariedade.

O aconchego — derivado de nos sentirmos integrados ao todo, ao planeta ou mesmo ao universo — é o que deve estar na base do sentimento de apego que podemos ter por esse conjunto. Ele surgiria em virtude de nossas primeiras vivências e seria apenas uma extensão da solidariedade. Tudo que o provoca determina um tipo de sentimento que tentei agrupar sob o nome de fenômeno amoroso. Assim, amamos a natureza, o universo ou Deus, o Criador.

Essa é apenas uma hipótese para explicar parte do fenômeno religioso, de cujos meandros não me sinto preparado para sequer chegar perto. Não são todas as pessoas que verdadeiramente sentem esse tipo de aconchego cósmico, raiz do amor a Deus. A rota de chegada a tal sentimento não é a racional. Esta, ao contrário, perturba a caminhada em tal direção, de modo que as criaturas que são muito encantadas com a própria racionalidade e com a lógica de seu pensamento não costumam ver motivos para acreditar em uma divindade que, ao menos para elas, não se revelou.

A "revelação", quando acontece, se dá por uma via diferente, chamada fé. Não creio que tenha muito a declarar sobre esse tema. Apenas quero registrar que a complexidade do fenômeno religioso provavelmente não pode ser subestimada, nem devemos tratá-lo com leviandade, tampouco nos satisfazer com explicações rápidas. Essas brevíssimas observações se justificam porque não penso que o entendimento do fenômeno religioso se esgote ao detectarmos nele importantes ingredientes relacionados com o fenômeno amoroso. Não é o caso aqui de tentar ponderar sobre outros eventuais componentes da religiosidade humana.

Hoje sei que é grave ingenuidade pensarmos que determinado assunto já esteja totalmente entendido e que já fomos capazes de extrair dele todos os desdobramentos possíveis. Sei que mais tarde poderei ver com mais clareza aspectos que hoje ainda me parecem obscuros, assim como considerarei errados alguns conceitos que agora me parecem cristalinos. **Esse é o destino do pensamento científico: estar em permanente mudança e reformulação. É um tanto desagradável ter de desdizer o que um dia já se disse com grande ênfase. De outro lado, é fascinante sabermos que o conhecimento é inesgotável, que ainda há muito para aprender.**

O amor tem sido um tema em que os tabus são respeitados com muito mais rigor do que aqueles que envolvem as questões sexuais. É difícil avançarmos nessa área, pois encontramos imediatas resistências vindas de todos os cantos. As que me interessam não são as que vêm dos especialistas, mas sim das pessoas esclarecidas, de boa vontade e mente aberta, as quais se recusam a ver o lado obscuro do amor. São elas que, como regra, correspondem à parte eticamente mais sofisticada de nossas populações; são muito simpáticas à idéia de que o amor é nossa maior virtude, o veículo que nos faz dedicados uns aos outros, que nos eleva e nos leva a transcender as limitações dos mamíferos.

Já pensei assim. Todavia, os fatos que acompanhei ao longo de mais de trinta anos de profissão me impedem de continuar a ver as coisas relacionadas com o amor por esse prisma. Não quero impor um modo de pensar, mas apenas deixar registrado, como tema para a reflexão das pessoas de boa vontade, que minha visão do amor como ele é vivido na prática é menos otimista do que a usual. Existem vários caminhos que podem nos levar à evolução pessoal e moral a que aspiramos. Não creio que estejam obrigatoriamente associados ao amor, sobretudo ao amor romântico, que prega a fusão de duas criaturas.

Confesso que não vejo solução para a fusão romântica. Não posso deixar de considerar inevitável que, sendo o outro peça necessária para minha estabilidade emocional, desenvolverei mecanismos de dominação que farei agirem sobre ele. Não posso deixar de acreditar que, sendo o outro peça fundamental para minha estabilidade emocional, eu tenha entrado por um atalho no qual minha dependência em relação a ele crescerá, ao mesmo tempo que minha auto-estima decrescerá. Sim, porque estarei sempre mais preocupado em saber como vai o outro do que com aquilo que está se passando dentro de minha alma. Não é bom para mim nem para o outro que ele seja minha salvação. Não há salvação possível por meio do outro, que é um pobre-diabo perdido e desamparado igual a mim.

Demolir conceitos fortemente arraigados, como são os que se relacionam com o amor e suas virtudes, não poderia mesmo encontrar aceitação imediata e fácil. Por vezes, tenho a impressão de que as pessoas lêem textos como este, acham tudo muito válido e interessante e depois continuam a viver e a pensar como se a leitura não tivesse acontecido. Nossos mecanismos de defesa são ativados nessas horas, reforçando nosso lado conservador. Não gostamos imediatamente daquilo que nos obriga a rever todos os nossos valores e as formas como encaminhamos nossa existência. **Sei muito bem que uma visão crítica**

que põe em dúvida as virtudes do amor esbarra com a má vontade das pessoas. Entretanto, penso que é meu dever continuar a registrar minhas observações, uma vez que o número de corações destroçados por decepções "inesperadas" só tem crescido.

Um último aspecto deve ser ressaltado como parte dessas reflexões: **sendo verdade que o sexo é a manifestação mais típica de nossa individualidade, é de esperar que as pessoas que venham a ter mais capacidade de se agüentar por si mesmas se tornem cada vez mais capazes de vivenciar esse instinto de modo mais livre e rico em prazeres.** Sim, porque o sexo, assim como todas as nossas funções intelectuais, tende a ficar subalterno aos processos ligados à preservação da fusão romântica e à estabilidade desse elo. Por exemplo, a mulher será sexualmente inibida ou desinibida conforme o que considerar conveniente para o bom andamento da relação amorosa. Quem definirá os procedimentos eróticos, o "bom senso" racional, a prática moral será a voz que fala mais alto, ou seja, a dependência emocional, que não poderá sofrer abalos de espécie alguma.

Em outras palavras, a sexualidade, tanto a inibida como a que se expressa de forma intensa, está a serviço de outros objetivos; é, pois, instrumento de uma intenção maior. Costumamos pensar na sexualidade como instrumento apenas quando questões de ordem financeira estão envolvidas. **Na verdade, nossa sexualidade está instrumentalizada em virtude do amor, uma vez que é usada conforme o que convém ao elo amoroso.**

Uma amante que deseja conservar o parceiro terá de ser a mulher exuberante do ponto de vista sexual, ao passo que muitas esposas acham que é por meio do recato nessa área que ficam acima das outras mulheres, conservando com isso o marido.

A instrumentalização do sexo, ainda que aconteça determinando uma aparente exaltação das virtudes eróticas da pessoa, será sempre indicador de falsidade, de que tudo que se pode ver não corresponde à efetiva natureza daquela criatura. Um indivíduo só pode ser sexualmente livre se esse instinto estiver exclusivamente a serviço do prazer. É possível que muitas das normas restritivas à livre expressão sexual caiam por terra de forma automática à medida que cresça o número de pessoas livres de dependências emocionais indevidas e que terão, pois, as condições necessárias para ser sexualmente livres.

Já vimos fato semelhante acontecer com o "tabu da virgindade". Se déssemos crédito à pompa envolvida no uso dessa expressão, pensaríamos que seriam necessárias várias décadas — que seriam contadas a partir da disseminação do uso da pílula anticoncepcional — para que as moças perdessem o medo de ter relações sexuais vaginais fora dos limites do compromisso matrimonial. Qual o quê! Poucos anos se passaram e quase ninguém mais fala nesse assunto.

Muitas das regras sexuais ainda continuam a serviço de outros objetivos. Quando uma moça diz que irá para a cama apenas com dado rapaz depois de tantos e tais requisitos, é claro que está condicionando a sexualidade a outros objetivos. Quero registrar que não sou a favor nem contra comportamento algum. Não estou defendendo pontos de vista práticos ou de ordem moral, mas apenas afirmando que só pode pensar em ser sexualmente livre aquele que puder viver como unidade e não como fração. Já sabemos que viver como unidade não significa ausência da sensação de incompletude, do "buraco" no estômago, e sim ter a convicção de que os outros estão em condição igual e que a fusão de duas criaturas assim constituídas não leva a parte alguma.

O que estou colocando como interessante hipótese é que os movimentos emancipatórios da sexualidade, que têm acontecido desde os anos 1960, esbarraram sempre com a questão amorosa mal resolvida, a qual, quando mal elaborada, conduz à instrumentalização da sexualidade humana, o que nos afasta da liberdade e do pleno prazer erótico. Quem sabe um avanço mais drástico no tema do amor abra as portas para novos e mais profundos progressos na questão sexual. Estes podem ser vistos como mais uma recompensa para aqueles que se dispuserem a avançar no caminho da construção da individualidade e da tentativa de resolver os dramas da existência dentro dos limites estabelecidos pela própria carne.

2 dois NARCISISMO: UM CONCEITO PERIGOSO

REDEFINIÇÃO E ABANDONO DO CONCEITO DE NARCISISMO

Tenho insistido na importância da tarefa, para os espíritos críticos, de rever sistematicamente todos os conceitos que recebemos como definitivos e inquestionáveis. Não devemos nos conformar com as explicações que nos são dadas, ainda que envolvam concepções milenares. É preciso que sejamos capazes de nos despojar, cada dia, de tudo que sabemos. Assim, poderemos observar e refletir novamente sobre tudo que, até ontem, pensávamos dominar. Temos de nos reciclar permanentemente. Quem não proceder dessa forma e aceitar o convívio sereno com conceitos já cristalizados e definitivos será um velho. O jovem é inquieto e cheio de dúvidas. Existem velhos com 20 anos, assim como jovens com 80.

Precisamos repensar as conclusões que nossos antepassados extraíram dos fatos que os cercavam e aprender a admirar — e não a reverenciar — o modo sofisticado pelo qual foram capazes de apreender o mundo e construir teorias gerais. Contudo, tenho certeza de que nenhum dos grandes pensadores que por aqui passaram gostaria de ter sido transformado em uma espécie de divindade, detentor de um saber definitivo. Além de anticientífico, tal procedimento é paralisante. Quem age assim engessa sua inteligência e atrela sua maneira de ver ao que já foi visto por alguma figura genial do passado; reverencia uma pessoa e sua doutrina, perde o rigor, o espírito crítico e, sem perceber, vai se transformando em um repetidor. Não é raro que ainda desenvolva certa arrogância, própria dos que se consideram portadores de um saber extraordinário, de algo que os faz superiores a nós, míseros mortais.

Essa introdução tem o objetivo de criar condições emocionais favoráveis para que eu comece a tratar de uma forma de pensar que contraria a tradição. O tema é o narcisismo, sobre o qual tenho escrito desde 1977. Nunca fui capaz de relacionar esse tipo de comportamento com algo sequer parecido com amor por si mesmo. E mais: de acordo com o modo como tenho definido o amor, é impossível imaginarmos a possibilidade da existência do amor por si mesmo.

Caminhemos devagar, tentando esclarecer melhor todos os aspectos relacionados com o tema com o intuito de registrar os reparos que acho urgente fazer. O termo "narcisismo" foi trazido à psicanálise por Freud e usado antes por um psiquiatra do fim do século XIX para descrever, segundo a citação de Freud, um estado patológico ligado a atividades sexuais relacionadas consigo mesmo. Na prática psicanalítica, o narcisista é aquele que não ama, mas quer ser amado. Como sua afetividade não se dirige para o outro, deduziu-se que ela ficou represada dentro da própria pessoa, que amaria principalmente a si mesma.

Deduções teóricas dessa natureza estariam de acordo com o que se observa, ainda que de forma superficial, no dia-a-dia, uma vez que essas criaturas são muito exuberantes, extrovertidas, gostam de falar bem de si mesmas, são portadoras de forte vaidade física etc.

Uma análise um pouco mais acurada mostra que os chamados narcisistas são criaturas que têm de si um péssimo juízo: reconhecem-se indisciplinados, pouco tolerantes às contrariedades e a todas as dores da vida, perfeccionistas e, por isso mesmo, pouco produtivos, além de serem extremamente invejosos daqueles que têm coragem para amar. A essas peculiaridades, todas verdadeiras, podemos agregar outros ingredientes: **são egoístas, precisando sempre extrair dos que os cercam vários benefícios práticos e emocionais, muito descontrolados no tocante à agressividade e ciumentos, porque sabem que não são bons parceiros e que poderão ser trocados com facilidade, além de invejarem intensamente as pessoas mais generosas, controladas e sinceras.**

Mesmo que existisse a possibilidade de alguém amar a si mesmo, não há como as pessoas que se sabem falsas — sempre buscando levar vantagem em todas as relações, constantemente precisando dos outros porque não podem ficar consigo mesmas mais do que uns poucos minutos sem entrar em pânico — **terem esse tipo de sentimento. Elas se reconhecem como pessoas ocas, sem sentimentos de culpa** — o que vale dizer que não têm sentido moral introjetado — **e se**

comportam dentro de certos limites apenas porque têm muito medo de represálias e de ser descobertas como criaturas desprovidas de valores. Têm consciência de que não amam porque tal empreitada é deveras perigosa, implicando sempre um risco de sofrimentos relacionados com a perda do amado. Apesar de serem criaturas descontroladas em seus comportamentos agressivos com terceiros, são muito medrosas com relação às dores psíquicas. **Sabem que são fracas e tentam dissimular isso o tempo todo. Gastam sua energia na tarefa, não raramente bem-sucedida, de esconder todas as verdades das outras pessoas. Procuram sempre se apresentar socialmente como criaturas felizes, sorridentes, altivas, como se estivessem de fato muito bem consigo mesmas.** Enganam diversas pessoas, até muitos especialistas, mas não a si mesmas, pois sabem perfeitamente que são um blefe, uma mentira.

Como as pessoas que têm um sentido moral mais sofisticado costumam ser mais discretas e reservadas, pode até parecer que têm menos amor por si mesmas. Do ponto de vista de uma dinâmica energética, que não sei se corresponde ao que se pode extrair dos fatos ou apenas se apóia numa dedução teórica, não amam a si mesmas porque podem amar outras pessoas. Gastaram a energia afetiva com os outros! Amariam a si mesmas as pessoas menos consistentes, ao passo que as mais generosas e preocupadas com o próximo amariam tanto os outros que não teriam amor sobrando para si mesmas. Amam a si mesmas as que são moralmente menos rigorosas, enquanto não se amam as que têm preocupação moral mais exigente.

Espalha-se a confusão e fica cada vez mais obscura a avaliação que se pode fazer desses dois tipos de criatura: os narcisistas e os que não amam a si mesmos. É bom ser narcisista? É legítimo amar a si mesmo? Ou trata-se apenas da falta de coragem para amar o próximo? É fato que o amor é uma energia que, caso não saia, fica represada dentro da pessoa? É bom esse represamento ou o legal é amar o próximo?

E como ficam esses conceitos à luz da concepção bíblica "ama o próximo como a ti mesmo" se aquele que ama a si mesmo não ama o próximo e o que ama o próximo não ama a si mesmo? Como fica a idéia tão disseminada de que só pode amar o outro aquele que ama a si mesmo se quem ama a si mesmo é incapaz de amar o outro?

Essa brutal confusão ilustra uma importante peculiaridade de nossa época, muito pouco capaz de reflexão ponderada e calma definição de valores. Essas e outras peculiaridades levaram vários autores a afirmar que estamos vivendo uma época governada pela "cultura do narcisismo". Temos de nos decidir, pois, para nós, o amor é o maior de todos os bens e ao mesmo tempo admiramos pessoas que amam a si mesmas, usando para isso a energia que disporiam para amar o próximo. Precisamos entender melhor o que significa "amar o próximo como a si mesmo" e todos os processos envolvidos na "relação" que podemos estabelecer com nós mesmos para sabermos se podemos chamá-la, com propriedade, de amor.

Sempre que observo esse tipo de caos, de confusão que se estabelece em razão do uso de uma mesma palavra com múltiplos sentidos e de conceitos vagos capazes de comprometer qualquer juízo de valor sobre a conduta das pessoas, penso: a quem pode interessar isso? Minha resposta é, quase sempre, a mesma: o caos interessa às pessoas eticamente menos dignas, àquelas que levam vantagem e se beneficiam da incapacidade que passamos a ter para separar o joio do trigo. Pessoas egoístas, que sempre foram tidas como moralmente menores, de repente são vistas como as que estão de acordo com o que é o novo, o contemporâneo, apenas porque se mostram mais competentes para usar roupas extravagantes, adornam-se de modo mais ousado e têm posturas sexuais que sugerem uma liberdade que não costumam ter.

Com base nessas observações, reafirmo a urgente necessidade de nos empenharmos para retomar o fio da meada. **Penso que nos escritos antigos, que tratavam da necessidade de amarmos o próximo como a nós mesmos, a proposição era de natureza moral, isto é, as pessoas deveriam dar a seus vizinhos tratamento igual ao que dispensavam a si mesmas. A intenção era exatamente o oposto do que defendem os narcisistas da atualidade. Era abrir mão do egoísmo original que nos caracteriza e buscar um modo de ser justo, em que o outro teria direitos iguais aos nossos.** Significava até um elogio da generosidade, sendo mais digno aquele que abria mão do que era seu para dar ao próximo. O narcisista, sempre egoísta e necessitado, está pronto para receber e não dar: receber amor e todo tipo de vantagem, emocional e material.

O narcisista é uma criatura, em essência, invejosa. Essa é mais uma razão para sua incapacidade de amar o próximo. Sim, porque a inveja é o fruto negativo de um processo psíquico que, como o amor, deriva da admiração. É sentimento próprio daquele que constata a presença no outro de propriedades que valoriza, reconhece que não as possui, sente-se inferiorizado e humilhado por isso e desenvolve um sentimento agressivo e hostil em relação ao dono dessas propriedades. Quando a pessoa admira no outro qualidades semelhantes às que possui ou supõe que poderá vir a tê-las, então a admiração determina o sentimento positivo relacionado com os fenômenos amorosos.

De acordo com essas observações, o narcisista não ama nem a si mesmo nem ao próximo. Ele simplesmente não ama. É covarde diante de situações que permitem antever um risco relativamente grande de sofrimento psíquico, em especial os relacionados com a ruptura de elos e os que envolvem humilhações — ofensas a nossa vaidade. Ora, todo vínculo amoroso pode se desfazer, determinando, como regra, as duas dores simultaneamente. Isso porque a rejeição amorosa corresponde à perda de um vínculo muito importante, o que não raramente acontece em razão de o outro não nos querer mais e mesmo nos trocar por outra pessoa, condição na qual experimentamos brutal humilhação.

"Narcisismo" é, pois, uma palavra que define uma condição, um modo de ser, sem relação alguma com o amor. Estabelece o tipo de imaturidade emocional mais comum, aquele no qual o indivíduo adulto tem comportamentos emocionais próprios de uma criança mimada de 7 anos. Define egoísmo, descontrole sobre as próprias emoções, fraqueza, oportunismo, inveja, falta de senso moral interno e pouco zelo pelos direitos alheios. Convenhamos que, para explicar um modo de ser caracterizado por tais propriedades, "narcisismo" não é uma boa palavra; poder-se-ia usar "egoísmo", termo singelo, mas que deixa clara a principal característica dessas pessoas.

É importante registrar que o egoísmo é uma condição muito diferente daquela que chamamos de individualismo. Nesta, o processo de independência, de se tornar indivíduo, se cumpriu, ao passo que o narcisista é, apesar de sua usual competência para exibir o contrário, dependente. **Quem avançou na direção da individuação não gosta de receber sem poder retribuir, porque sabe que isso implica crescente dependência, além de ofender sua vaidade. O narcisista necessita receber, de modo que tem de suportar a humilhação aí contida e depois tentar se vingar agredindo aqueles que o ajudaram e, ao fazê-lo, o humilharam.**

Nem todos os que não são muito generosos são egoístas. Estes recebem mais do que dão, enquanto o generoso dá mais do que recebe. O ser humano mais justo, aquele que, de fato, trata a si próprio e aos outros segundo o mesmo critério, dá e recebe na mesma proporção. Não gosta de receber sem poder dar nem de dar sem algum tipo de retribuição. A intensidade e a freqüência dessas trocas são algo que cada pessoa deverá definir. Cabe registrar que os que dão pouco não são egoístas, desde que também recebam pouco. O que define a pessoa justa é o equilíbrio que ela impõe em suas trocas com o meio em que vive. Não estou me referindo a atitudes mesquinhas, próprias dos que gostam de contar tostões, mas sim ao geral, à grande média, à postura firme e definida que os justos têm em suas relações interpessoais. Não querem levar vantagem nem ser feitos de bobos.

A SEXUALIDADE NOS LEVA A "SENTIR ALGO" POR NÓS MESMOS

Depois dessas primeiras reflexões acerca do aspecto moral envolvido na questão do narcisismo, vamos pensar um pouco sobre alguns problemas que derivam da não-separação entre sexo e amor. A meu ver, trata-se de uma questão mais complexa do que se pode supor à primeira vista. Isso porque existe um importante ingrediente de nossa sexualidade que está dirigido totalmente para nós mesmos, de modo que a não-percepção de que sexo e amor são fenômenos diferentes só pode levar à conclusão de que existe, de fato, um sentimento amoroso que geramos e que está voltado para nossa direção. O auto-erotismo infantil, que tenho descrito como associado aos primórdios da constituição de nossa identidade, não é, como se supõe, substituído por uma sexualidade voltada para objetos externos. Surgem, é verdade, objetos de desejo sexual observável nos homens. No entanto, tenho insistido muito na hipótese de que, se conseguirmos pensar apenas do ponto de vista sexual, o outro sempre conta muito pouco, já que ele apenas determina uma excitação que é nossa e que se resolve em nós. Os fatos sugerem que esse é um bom caminho a seguir, tanto que podemos nos excitar com estímulos desencadeados por uma revista, uma história ou um filme; e isso acontece sem a necessidade da presença de qualquer outra pessoa, mesmo quando estamos totalmente solitários.

Boa parte de nossa sexualidade não depende sequer dos estímulos externos aos quais estava me referindo. Quando uma pessoa coloca sobre seu corpo determinados objetos de adorno, sente um *frisson* de natureza erótica muito peculiar que lhe é exclusivo. Excitação igual pode se dar quando a pessoa vivencia grande satisfação por ter sido capaz de ousar e ter sucesso em alguma atividade. Os óbvios benefícios para a auto-estima que um feito desses provoca são acompanhados de uma sensação de prazer erótico, de satisfação consigo mesmo, que costumamos chamar de orgulho. Ao nos sentirmos orgulhosos de nós mesmos, experimentamos uma sensação erótica relacionada com um feito que nossa razão considera de grande relevância. Vivenciamos a excitação própria do desequilíbrio sexual e ao mesmo tempo a euforia derivada da coragem que tivemos e do sucesso que alcançamos.

Sentimos um enorme prazer em nós mesmos e uma importante força dentro de nós, estado que perdura por certo tempo. Sentimo-nos bem e eletrizados em nossa pele. **A sensação é maravilhosa, só que não é típica do fenômeno amoroso, mas sim do fenômeno sexual.** A sensação relacionada com o amor é diferente: pressupõe uma dor prévia, um vazio, uma sensação de incompletude, de nos sentirmos fração; prevê o surgimento de alguém ou de alguma coisa que, justamente por força de sua chegada, determine um preenchimento desse vazio, o que nos fará sentir inteiros em vez de fração. **O amor é vivenciado como um remédio para uma forte dor, enquanto os fenômenos eróticos, dos quais o orgulho é um representante sofisticado, são um prazer que surge independentemente de existir qualquer tipo de insatisfação anterior.** O amor supõe o surgimento de um fator externo, ao passo que o orgulho depende apenas de um prazer pessoal derivado de uma conquista muito ansiada.

Tenho dito que o fenômeno amoroso nem sempre é tão fortemente interpessoal, uma vez que na maior parte dos casos o que se busca é a própria completude e o fim das dores de cada um. No entanto, sempre depende da presença, efetiva ou suposta, de um determinado ingrediente externo à pessoa. No caso do sexo, podemos não apenas nos acariciar sem pensar em uma pessoa ou situação — e essa condição determina em nós todas as agradáveis sensações próprias do estímulo tátil ligado à masturbação —, como também nos excitar em virtude de nossos feitos. **O prazer pela conquista nos alegra, faz bem à auto-estima e nos**

excita, porque antevemos o aplauso e a admiração das pessoas; então, o forte prazer erótico da vaidade toma conta de nós, não raramente ofuscando até a satisfação íntima, ligada à auto-estima. Apesar de o prazer erótico de se exibir estar, até certo ponto, relacionado com o outro, a situação é bastante diferente do que acontece no amor; somos muito mais indiscriminados no caso da vaidade. Queremos o aplauso de muitas pessoas; já a sensação de completude só é conseguida por meio do convívio com uma única e determinada pessoa.

Podemos dizer que existe algo muito especial que se manifesta dentro de nós voltado inteiramente para nossa direção. Reafirmo minha descrença de que esse "algo" faça parte do fenômeno amoroso. Considero-o parte de nossos fenômenos eróticos, que são claramente distintos dos amorosos. Para as pessoas que não vêem distinção entre amor e sexo, cabe a afirmação de que existe amor por si mesmo.

Achar que sexo e amor originam-se da mesma fonte significa acreditar que aconchego e excitação sexual tenham algo em comum. Nem mesmo com todo o empenho e boa vontade sou capaz de ver as coisas desse ponto de vista. Creio que temos pensado assim apenas por respeito à tradição, aos grandes mestres que nos antecederam. Desses grandes e ousados precursores aprendemos muito; entretanto, deveríamos também aprender a contestar o saber oficial, pois talvez esse tenha sido o maior mérito de todos os que costumamos admirar. É exatamente por esse motivo que não sinto constrangimento algum em ter pontos de vista divergentes.

Não posso deixar de registrar que considero um grave erro essa não-distinção entre amor e sexo como fenômenos autônomos, capaz de tumultuar drasticamente o entendimento de nossa subjetividade. Passamos a pensar de forma enganosa sobre muitos acontecimentos cotidianos. Chamamos a troca de carícias entre duas pessoas de "fazer amor". Amor não se faz, se sente! Como a não-separação entre as manifestações sexuais e aquelas relacionadas com a ternura — expressão física totalmente livre de erotismo e comprometida com o amor — determinou a norma social, nós, homens, não pudemos ser beijados por nossos pais, temerosos que estavam de nos "contaminar" com estímulos eróticos e nos encaminhar na rota homossexual. Não pudemos compreender bem o que a mãe sentia por seu filho nem o amor deste por ela, pois se atribuiu um ingrediente erótico à mais típica expressão do amor entre humanos. Amizade é amor onde a sexualidade está reprimida? A amizade intensa entre duas pessoas do mesmo sexo implica homossexualidade latente, escondida nos porões do inconsciente? Quanta confusão desnecessária, inútil e um tanto primária! Como se nos faltassem problemas verdadeiros!

A troca de carícias eróticas pode existir de modo totalmente independente da existência de qualquer tipo de sentimento amoroso. Adolescentes mal se conhecem e já estão se beijando; isso acontece porque experimentam o prazer da excitação sexual mesmo quando não se sentem aconchegados pelo parceiro erótico. Podemos nos sentir aconchegados por figuras com as

quais não temos nenhum tipo de intercâmbio sexual; nossa avó poderá ser a pessoa com a qual nos sentimos mais amparados e protegidos sem que pensemos nela em termos eróticos. Podemos nos sentir protegidos e aconchegados também por alguém com quem as trocas eróticas sejam prazerosas. Existem aproximação erótica isolada, aconchego amoroso isolado e a possibilidade, muito interessante do ponto de vista da maior parte das pessoas, de amor e sexo estarem presentes simultaneamente no convívio entre duas pessoas. Contudo, isso não faz deles componentes de um mesmo impulso, de um mesmo instinto de vida.

É interessante notar que os chamados narcisistas — que são os mais egoístas, dependentes de benefícios práticos obtidos do convívio oportunista com outras pessoas, portadores de muito pouca coragem para enfrentar situações de dor e de fracasso, e, por isso mesmo, pouco corajosos para as situações amorosas — costumam ser os que mais se dedicam às práticas eróticas voltadas para si mesmos e para aquelas que visam atrair olhares de desejo dos que os cercam. Como não podem se dedicar às coisas do amor, tratam de se destacar por meio de um posicionamento que, para a maioria das pessoas, aparece como muito ousado do ponto de vista erótico. Isso é particularmente observável nas mulheres que se vestem de modo provocante, por vezes chamado de vulgar. É curioso o modo como se usa essa palavra, pois pressupõe que as mais discretas sejam "invulgares", parte de uma elite, de uma casta superior, que sentem real desprezo por aquelas muito exibidas. Minha experiência é clara: várias daquelas tidas como recatadas sentem forte inveja das que ousam se exibir de modo mais explícito.

As pessoas chamadas de narcisistas costumam despertar grande encantamento nas que têm mais coragem para mergulhar nas águas perigosas do amor. Acredito que isso acontece por várias razões. Uma delas é, sem dúvida, derivada do estímulo erótico, provocado de forma mais intensa pelos que têm medo de amar. A mente dos chamados narcisistas está voltada essencialmente para temas eróticos, uma vez que o amor lhes está interditado. Além disso, é forte o seu empenho com o intuito de esconder suas fraquezas daqueles com quem convivem, de modo que se preocupam muito mais com sua aparência física, com seus gestos, com o que dizem... Assumem posturas parecidas com as das criaturas que gostariam de ser: as que efetivamente se sentem mais inteiras e auto-suficientes. Cultivam certo orgulho por serem capazes de enganar tão bem tantas pessoas e de seduzir e despertar os interesses sexual e sentimental de muitas delas. Não são poucos os que vivem para isso, que têm nessas práticas o mais forte estímulo para sair da cama de manhã.

DIGNIDADE, RESPEITO, HONRA, AMOR-PRÓPRIO: TUDO É VAIDADE?

Ao usar outra vez a palavra "orgulho", agora em um contexto em que alguém possa sentir esse tipo de erotismo em decorrência de procedimentos relacionados com o ato de enganar seus interlocutores, ficou claro para mim a imperiosa necessidade de tentar fazer algumas observações mais aprofundadas sobre seu significado, assim como de outras palavras a ele relacionadas. Considero indispensável uma reflexão mais acurada acerca do sentido de termos como: "dignidade", "respeito", "honra", "amor-próprio" e "autopreservação". Sinto-me outra vez encurralado por essa tendência que tenho de querer saber quais são os ingredientes constituintes de palavras muito importantes que usamos com a naturalidade de quem acha que sabe perfeitamente seu significado. Quanto mais penso e tento descrever de modo rigoroso nossas emoções e sentimentos básicos (qual é mesmo a exata diferença entre emoções e sentimentos?), maiores são as dificuldades que encontro. É como se as palavras fossem insuficientes para descrevê-los com precisão.

Confesso minha dificuldade de avançar muito também no caso em questão. Ainda assim, tentarei fazer alguns comentários acerca do significado dessas palavras. Todas elas refletem uma sensação de prazer da pessoa consigo mesma e indicam a existência de um código de valores em relação ao qual ela se sente muito bem posicionada. Em todas está contido o medo de uma forte dor, caso a pessoa não consiga sustentar sua posição de orgulho, dignidade, honra etc.

De início, acho conveniente abordarmos cada um desses ingredientes em separado. Minha impressão é a de que essa sensação de prazer consigo mesmo é, de acordo com o que posso observar nas pessoas, de natureza erótica. É um estado íntimo de exaltação, de excitação sexual difusa, não relacionado com a estimulação das zonas erógenas. Corresponde a um processo íntimo, pessoal. Entretanto, tem também por objetivo chamar a atenção das pessoas e atrair olhares de admiração, correspondendo ao que denomino de vaidade. Esse é um aspecto delicado, pois não saberia afirmar se uma pessoa teria efetivamente prazer sensual em ser digno e honrado ainda que ninguém a estivesse observando. Além disso, como tal postura não se forma apenas em decorrência desse ingrediente erótico, seria difícil saber se sua existência independente da presença dos "outros" devese a esse ou aquele componente.

Para mim, o erotismo, ainda que indiscutivelmente pessoal, se alimenta de observadores ou da possibilidade de eles virem a existir. Esse tipo de sensação sexual que a pessoa experimenta em relação a si mesma por se sentir possuidora de determinadas propriedades e que tanto se beneficia da admiração dos "outros", quaisquer que sejam eles, é próprio da vaidade; esta é, por excelência, um dos elementos constitutivos daquelas palavras pomposas com as quais definimos algumas posturas que gostamos muito de ter. Esse gostar pode ser chamado de orgulho, o qual não corresponde, pois, às posturas, e sim ao prazer que sentimos por agirmos de acordo com elas. Farei algumas considerações sobre elas logo a seguir.

A vaidade está claramente relacionada com nossa identidade, com a constituição de nossa individualidade, assim como todos os demais fenômenos sexuais.

Nossas primeiras sensações eróticas acontecem concomitantemente com as primeiras noções de que somos seres desgarrados de nossas mães. Os primeiros prazeres dessa ordem ficam definitivamente associados à constituição e preservação de nosso eu. A vaidade é um importante ingrediente dos processos psíquicos que garantem nossa autopreservação, que nos protegem e lutam por nossa sobrevivência. É parte essencial de nossos impulsos vitais. É impossível renunciar a ela; negá-la é tentar colocar embaixo do tapete forças enormes que, de lá, estarão nos guiando à revelia. Se pudéssemos acabar com toda a nossa vaidade e viver com desprendimento total e genuíno, isso seria a suprema vaidade; sim, porque teríamos nos transformado em deuses e estaríamos livres da mais forte propriedade da sexualidade mamífera que nos caracteriza. **Reafirmo a dupla característica da vaidade: ela nos faz exageradamente preocupados em chamar a atenção das outras pessoas e está comprometida com os prazeres que derivam da constituição de nossa identidade. Essa aparente contradição terá de ser muito bem entendida se quisermos encontrar soluções interessantes para o dilema que daí deriva.**

Podemos considerar que os termos "orgulho" e "amor-próprio" correspondem ao mesmo tipo de sensação íntima. Verificamos, mais uma vez, a confusão causada por palavras. Amor-próprio subentende que temos um sentimento de ternura para conosco e que sofreríamos com qualquer tipo de ofensa que a nós fosse dirigida. Tenho insistido em que existe algo de erótico em nossa relação com nós mesmos, mas não se trata de ternura nem de outro ingrediente relacionado com o fenômeno amoroso. É certo que nos sentimos muito agredidos com as ofensas e que vivenciamos como grave calúnia o fato de alguém nos desconsiderar, qualquer que seja a razão. Não sofremos em razão de fenômenos amorosos, mas sim em decorrência da humilhação, que é o que sentimos sempre que nossa vaidade é ofendida. É uma dor brutal, uma sensação de rebaixamento, de insignificância, de não ter nenhum valor aos olhos daqueles que nos rejeitaram. Avançaríamos bastante na direção da clareza do pensamento se abandonássemos a expressão "amor-próprio".

Nossa razão não pode ser desprezada em nenhuma função psíquica mais complexa. No amor gostamos de pensar que tudo que sentimos é livre da influência de nossa racionalidade. Detestamos detectar "interesses" envolvidos nos casos românticos. Preferimos até considerar como mais grandiosos e heróicos aqueles encontros que se dão em oposição a todo tipo de interesse — condição condenada ao fracasso na seqüência dos acontecimentos. A verdade é que a razão participa das escolhas amorosas, uma vez que tal sentimento depende da admiração, e esta, da existência de um critério de valores. **Todos nós elaboramos e consolidamos um conjunto de conceitos e concepções que consideramos válidos e adequados; eles passam a ser "nossos valores".**

"Valor" é uma palavra que costuma ser utilizada com múltiplos sentidos: tudo aquilo que consideramos

importante e bom ter. Se imaginarmos o estabelecimento de um elo que aproxime nossa vaidade de nossos valores, talvez possamos lançar alguma luz na direção do entendimento das palavras que determinaram essas observações. O orgulho seria, como já coloquei, o prazer que sentimos pelo fato de termos valores, nos governarmos por eles e de sermos vistos assim. Talvez seja um sentimento constituído em grande parte pela vaidade, e os valores representam um papel acessório. No caso da dignidade, do respeito e da honra, o essencial consiste no inverso: tais palavras refletem a constituição de um conjunto de normas que a pessoa pretende seguir com rigor e a elas se acoplam os poderosos ingredientes constitutivos da vaidade.

O resultado final é aquele que conhecemos até por experiência pessoal: o orgulho por sermos pessoas honradas, dignas e respeitadas por possuirmos valores morais definidos. Orgulhamo-nos de pagar nossas contas em dia, de sermos criaturas "de palavra". Os que não o são tratam de disfarçar e esconder as condutas tidas como menos corretas; temem o desprezo das pessoas, condição propícia para o surgimento da dolorosa sensação de humilhação característica dos momentos em que nossa vaidade está em baixa.

Não é minha intenção tratar aqui da complexa trama envolvida na constituição dos valores éticos e morais que fazem ou não parte de nossa vida psíquica. Apenas registro que, ao menos durante nossa infância, muito do que aprendemos a respeitar foi por medo de represálias de todo tipo. Vemos claramente o papel do medo no processo educacional. A criança vai respondendo positivamente às propostas do meio em que se insere principalmente por causa do medo dos castigos que estão prontos para ser exercidos nos casos em que a desobediência se torna recorrente.

As punições são variadas e vão desde as mais leves, relacionadas com alguma subtração de um privilégio ou agressão física "suave", até as mais dramáticas, que passam pela possibilidade de a criança perder o afeto de seus entes queridos. O medo está relacionado tanto com as represálias terrenas como com aquelas atribuídas às divindades, que castigarão de modo mais categórico e definitivo os que não aprenderem a se guiar de acordo com as normas propostas por dado sistema religioso e moral. À medida que as crianças crescem, passam a temer o deboche, a gozação e a ridicularização a que poderão estar sujeitas quando contrariarem os valores respeitados por seus pares. Ironias desse tipo determinam um rubor na face muito típico, ao qual chamamos vergonha. **Assim, elas temem os pais, os deuses e as outras crianças, de modo que acaba se compondo um sistema rigorosíssimo de vigilância entre as pessoas. Nesse sistema, todos são fiscais e fiscalizados. Qualquer atitude incomum esbarra imediatamente com todo tipo de represália, sempre implicando prejuízos para a vaidade.**

Não podemos subestimar o peso que tais temores exercem na perpetuação de nossas condutas dignas e

honradas. Muitas pessoas têm convicções morais tão consistentes que são capazes de mantê-las até nas mais adversas situações e mesmo quando não se beneficiarão da admiração dos "outros". Seriam as portadoras de um sentido moral que se internalizou, constituindo o que se chama de superego. Essa conduta não é universal, como se costuma dizer. Em geral, as pessoas tendem a abrir mão de seus valores, renunciando à honra ou à dignidade, ao se sentirem intensamente ameaçadas por algo que ponha em risco a sobrevivência. A autopreservação costuma ser mais importante do que os valores morais, ao menos nos momentos críticos. É possível que, passado o perigo, o indivíduo que transgrediu para sobreviver venha a se sentir muito mal justamente por causa disso; ele se envergonhará de seu comportamento.

A vergonha é um tipo de humilhação, um modelo especial de ofensa à vaidade, no qual somos objeto de deboche das pessoas que nos cercam. Não devemos nos esquecer de que os humanos têm imaginação, de modo que podem sofrer por processos que eles supõem estarem acontecendo na mente dos "outros". Se eu imaginar que estou sendo desprezado e ridicularizado porque alguém ficou sabendo de alguma fraqueza minha, imediatamente passarei a me sentir muito mal, exatamente como se o fato tivesse ocorrido.

A influência do grupo de referência na formação dos valores de uma pessoa se dá, por vezes, de forma pouco convencional. Um exemplo seria o que acontece com uma criança que nasce em um ambiente em que os valores não são precisamente aqueles que norteiam a grande maioria de nós. Uma criança que nasce em uma família de mafiosos tenderá a seguir as regras, os costumes e, se podemos dizer assim, os valores desse grupo. Isso aconteceria igualmente com aqueles que nasceram em uma favela, onde o tráfico de drogas é tratado como atividade própria dos mais fortes e poderosos. Crescidos nesses contextos, os jovens podem perfeitamente se orgulhar de ser brilhantes matadores, de agir sem qualquer tipo de piedade e de ser capazes de grandes proezas para angariar uma fortuna que poderá ser valorizada independentemente de como foi conquistada.

Nesses casos, pode-se mesmo falar de um código de honra próprio do grupo, o qual que pode ser francamente antagônico ao que respeitamos. Poderá morrer como covarde aquele que não teve coragem de atirar contra um amigo íntimo ou o irmão querido. Poderá ser desprezado o que tiver preferência homossexual; quando estiver preso, porém, será tratado com desdém se não tiver interesse na intimidade física com outros homens. O código varia conforme a situação, e o orgulho e a honra andarão ao lado do que dita o código para cada condição. Evidentemente, estamos tratando de exceções. As coisas são um pouco mais estáveis quando pensamos nos valores da maioria das pessoas. Contudo, não o são tanto quanto se pensa, pois não são raros os que acabam achando aceitável enriquecer de modo ilícito ou os que agem de modo sedutor e conquistam mulheres tidas como proibidas. Muitos são os casos em que nossos valores são muito pouco claros; portanto, o orgulho poderá se exercer em direções antagônicas, conforme a situação.

O medo das dores psíquicas relativas à humilhação pode estar entrelaçado com medos relacionados com o fenômeno amoroso. Quando tememos o desprezo das pessoas que nos cercam, principalmente daquelas que nos são afetivamente representativas, tememos também a perda de aconchego que acompanharia o ato de sermos abandonados por elas. Assim, juntamente com as dores da humilhação, tememos o abandono; a perda amorosa, quando associada à humilhação, corresponde à rejeição. Trata-se de uma dor brutal, de modo que é muito compreensível que muitos tentem evitá-la a qualquer custo.

Conduzimo-nos de acordo com nossos valores porque acreditamos neles, tememos as represálias a que estaríamos sujeitos em casos de transgressão e nos orgulhamos deles, ou seja, nos erotizamos por saber que somos admirados por possuí-los. Palavras como "dignidade" e "honra" englobam esse conjunto de sensações, que correspondem essencialmente à erotização dos valores que nos caracterizam. Elas são o fruto do casamento da vaidade com a moral.

VAIDADE E NARCISISMO NÃO SÃO CONCEITOS IDÊNTICOS

Uma das graves conseqüências da não-separação do sexo e do amor como fenômenos independentes foi, a meu ver, a pouca capacidade que os profissionais de psicologia tiveram de reconhecer e refletir sobre a questão da vaidade. Esse ingrediente essencial de nossa sexualidade é tratado de forma indireta e superficial. **Usualmente, referimo-nos ao fato de nos inflarmos quando elogiados como se as belas palavras a nosso respeito determinassem algo que "fizesse bem a nosso ego", que o "massageasse". Ou, então, dizemos que nosso lado narcisista ficou muito satisfeito com os elogios.** O uso da palavra "narcisismo" como se fosse sinônimo de "vaidade" está na raiz do forte desejo que tenho de fazer alguns comentários a respeito dessa peculiaridade tão pouco estudada e tão importante de nossa vida interior.

Já afirmei inúmeras vezes minha idéia de que a vaidade corresponde a um prazer erótico difuso advindo da exibição bem-sucedida de alguma prenda pessoal. A pessoa sente forte excitação quando é elogiada pela beleza, pelo poder econômico, pela cultura, por feitos heróicos e corajosos etc. A excitação é suficientemente intensa para determinar o desejo de repetições, a busca de novos elogios capazes de desencadeá-la sucessivas vezes. Temos grande tendência de ficarmos "viciados" nesse tipo de prazer. Se for esse o caso, passaremos a buscar sua repetição a qualquer custo.

O que caracteriza um "vício" é exatamente o desejo lancinante da repetição de dada sensação. O anseio é urgente; para tanto, somos inclinados a fazer qualquer coisa para atingir aquele estado que se torna necessário. **Não são poucas as pessoas que estão dispostas até a chegar muito perto do que seria um comportamento ridículo com o objetivo de chamar a atenção sobre si, atrair**

olhares de admiração ou de desejo. Digo isso porque chamar a atenção por comportamentos tidos como ridículos seria ofensivo à vaidade, uma vez que determina gestos e palavras de ironia capazes de humilhar a pessoa que se exibiu de forma negativa e indevida.

Tais fronteiras são muito pouco nítidas; portanto, nem sempre é fácil sabermos se dado comportamento é digno de admiração ou de deboche. Usar certas roupas apenas com o propósito de chamar a atenção sobre si pode originar sentimentos de desejo — e nessa condição provoca a sensação erótica da vaidade em quem está se exibindo — ou críticas ao gosto duvidoso de quem as utiliza — e aí gera a vergonha ou a humilhação. Não raramente uma pessoa vestida de modo extravagante provoca ambas as sensações, dependendo do contexto e dos interlocutores. Uma mulher vestida de forma muito sedutora desperta tanto o desejo dos homens como a ironia e as frases depreciadoras das mulheres. É claro que estas podem estar agindo em razão de um sentimento que deriva da vaidade, que é a inveja.

A inveja, que é a emoção humana mais freqüente nas relações entre as pessoas, corresponde a uma sensação de inferioridade que experimentamos diante de alguém que consideramos portador das virtudes que nos faltam e que gostaríamos muito de possuir. A inferioridade é vivida como humilhação, provocando a revolta íntima e a raiva contra aquele que possui as qualidades valorizadas. Quanto mais uma pessoa exibe suas prendas e seus dotes, maiores são as hostilida-

des invejosas que contra ela são desferidas. As pessoas que gostam de se exibir para qualquer público são as que adoram provocar a inveja, que é um indicador de que estão sendo admiradas, valorizadas. Assim, sentem-se superiores, condição na qual neutralizam, ao menos por uns instantes, seus mal resolvidos sentimentos de inferioridade.

Não fosse por outra razão que não a de ser a precursora da inveja, a vaidade já poderia ser considerada parte complexa e intrigante de nosso instinto sexual. **Muitos dos ímpetos competitivos que nos caracterizam também derivam da vaidade. Como detestamos nos sentir abaixo das outras pessoas, tratamos de apressar o passo de nossa caminhada para que possamos acompanhá-las, o que gera enormes desgastes físicos e mentais, depressões e doenças para os que se sentem perdedores, além de afastar muito os humanos uns dos outros.**

É do conhecimento de todos que as pessoas narcisistas são as que mais gostam de se exibir e de chamar a atenção de forma direta e sem qualquer tipo de sofisticação. Não se sentem ameaçadas com a inveja que vão provocar em virtude do exibicionismo que adoram exercer; ao contrário, sentem-se muito bem ao desfilar com uma jóia muito rara, com um carro caro e de cor extravagante, com roupas incomuns, ou ao receber amigos pobres em seu palácio. Elas querem ter tudo que é valorizado por dada sociedade. Não são muito criativas; querem se apropriar dos símbolos de sucesso próprios de seu grupo de referência. Não têm medo da inveja que provocam nem se incomodam com o sofrimento que estão impondo a seus interlocutores invejosos. Não têm, pois, sentimentos de culpa e nenhum outro tipo de constrangimento diante do privilégio que possuem.

As pessoas generosas são também vaidosas, uma vez que esse é um ingrediente inerente a nossa sexualidade. Elas se sentem muito incomodadas em provocar a inveja das outras pessoas, tendendo a ter comportamentos bem mais recatados, principalmente no que diz respeito ao exibicionismo de prendas materiais. Sentem medo das eventuais retaliações que poderão vir dos invejosos, além de sempre se sentirem culpadas pelos sofrimentos que possam estar impondo aos outros. Refreiam seus ímpetos exibicionistas e talvez se sintam um pouco frustradas por isso, tanto assim que não raramente invejam a ousadia dos narcisistas. O que acontece? **A vaidade acaba buscando uma forma alternativa de se manifestar. Por exemplo, a pessoa generosa trata de se exibir como criatura despojada e livre da vaidade própria dos que "mediocremente se apegam às coisas materiais". Desinteressa-se desse tipo de exibicionismo material, que passa a ser tratado como "inferior" e "vulgar", e busca o exercício da vaidade por meio do desprendimento — que também chama a atenção — ou do apego ao conhecimento e à espiritualidade, enfim, a "valores superiores".**

Ao conseguirem esse tipo de inversão do exercício da vaidade, os generosos passam a provocar a inveja

dos narcisistas, que, vistos desse ponto de vista, podem muito bem se achar menores e inferiores. Como não podem concorrer com os generosos no que diz respeito às renúncias materiais, pois têm pouca tolerância às frustrações, tratam de reforçar ainda mais o exibicionismo materialista e erótico, condição que provoca a inveja dos generosos. Estão compostos os dois grupos mais comuns de pessoas; a maneira de ser de um reforça a postura radical do outro. Não existe, em um mundo assim partido, nenhuma tendência para o encontro das pessoas em um ponto intermediário, em um local médio, onde nenhum tipo de exibicionismo seja exagerado e onde não exista a radicalização de posturas que tanto prejuízo tem causado a nossa evolução emocional e moral.

Pode parecer que os narcisistas sejam mais vaidosos do que os mais generosos. No entanto, não creio ser essa a verdade nem que seja interessante falar do componente narcisista presente no generoso, pois tais jogos de palavras podem muito facilmente nos conduzir a graves enganos. A vaidade está presente em todos nós, é parte de nosso erotismo; ela se expressa de forma grosseira e direta no narcisista e sutil e mais elaborada no generoso. Isso não implica avaliações quantitativas, e sim modos diferentes de expressão do mesmo impulso erótico.

Talvez seja interessante reafirmar aqui que é possível que a capacidade do narcisista de tolerar e até mesmo de gostar de provocar a inveja esteja relacionada com um enorme sentimento de menos valor. Seria mais ou menos assim: a pessoa, em seu íntimo, se acha totalmente desprovida de qualidades; não quer que os outros saibam disso e trata de se mostrar alegre, feliz, exuberante e muito bem na própria pele — e tudo isso é pura mentira; tal exibicionismo e toda a inveja que provoca não a ameaçam, uma vez que sabe que, de fato, não possui nada; não tem, portanto, nada a perder. A inveja não poderá destruí-la, já que o narcisista se acha desprovido de qualquer qualidade.

O generoso faz melhor juízo de si; tem certa auto-estima e se orgulha de possuir os valores relacionados com o sentido de justiça, com o zelo pelos direitos dos outros. Sente-se como quem tem coisas a perder, de modo que teme muito provocar a ira invejosa das pessoas. Além disso, não sabe lidar com os sentimentos de culpa derivados de se sentir privilegiado aos olhos dos outros. Para sair dessa situação que, de início, seria de flagrante inferioridade, trata de valorizar, acima de tudo, sua capacidade de renúncia, condição na qual estaria transcendendo para além dos limites do mamífero. Não deixa de ser boa idéia essa de se envaidecer por ser superior aos "humanos vulgares e materialistas"!

Insisto em que chamarmos nosso anseio exibicionista de narcisismo é pouco conveniente, uma vez que se trata de um componente inerente e definitivo da sexualidade de todos nós. Melhor é chamarmos pelo antigo nome: vaidade. Trata-se, de fato, de um elemento erótico voltado para nós. É, portanto, parte essencial desse *frisson* erótico, e não amoroso, que sentimos por nós mesmos. A vaidade está presente, em estado puro ou acoplada a outros processos psíquicos, em todas as nossas ações. É fonte de prazeres e matriz de muitos de nossos maiores sofrimentos. Deveríamos conhecê-la melhor e, principalmente, aprender a domesticá-la para podermos usufruir seus prazeres sem termos de pagar um preço muito alto em outros aspectos da vida íntima.

Assim, não há nada de tão extraordinário em conceitos como honra, dignidade, amor-próprio, nos quais a vaidade se acopla a concepções de ordem moral e a nossas funções intelectuais de várias formas, todas muito perigosas. Ela nos faz gostar de exibir nossas conquistas nesse setor e determina uma ânsia de destaque e de sucesso que pode muito bem causar enganos nos processos de reflexão das pessoas que têm o dever de pensar de modo isento e imparcial. **Do ponto de vista da atividade intelectual, a vaidade é um grande mal: gera competição onde deveria existir cooperação, banaliza setores que deveriam ser sagrados e faz que os interesses pessoais predominem onde o bem comum e a verdade deveriam reinar. Talvez um dia consigamos nos livrar desse aspecto drasticamente nefasto da vaidade, que leva pessoas inteligentíssimas a agir de modo pueril e ridículo, buscando vitórias pessoais quando deveriam buscar a luz.** Possivelmente um dia deixaremos de ter de assistir a essas mesmas pessoas fazendo longos discursos para mostrar às platéias entediadas, e por vezes invejosas, como elas são competentes e como são grandes seus feitos!

EXIBICIONISMO E EXUBERÂNCIA SEXUAL NÃO ANDAM JUNTOS

Um aspecto intrigante de nossa sexualidade pode ser introduzido com a seguinte questão: existe alguma relação, positiva ou negativa, entre o exibicionismo, que caracteriza a vaidade, e a expressão direta de nossa sexualidade? Em outras palavras: **as pessoas mais vaidosas são as que possuem um impulso sexual mais intenso e uma vida sexual mais rica tanto do ponto de vista qualitativo como quantitativo?** As mais extravagantes no modo de se vestir e de se comportar são as mais exuberantes da ótica da prática sexual, das trocas de carícias eróticas? Ou ainda: são os indivíduos do tipo narcisista mais exuberantes sexualmente do que os do tipo generoso?

Como sempre, encontro mais facilidade em fazer perguntas do que em respondê-las. Isso mostra que ainda temos muito a andar e que o conhecimento é como a linha do horizonte: à medida que caminhamos, ele também se afasta. Aqui, como em tudo que diz respeito a nossa psicologia, não devemos nos fiar na primeira impressão, que corresponde à que o outro deseja nos transmitir. Uma pessoa pouco idônea no aspecto comercial pode gostar de ser vista como honestíssima. Aquela com baixa auto-estima pode gostar de se colocar socialmente como muito orgulhosa de si, como é o caso do tipo narcisista. Criaturas sexualmente inibidas podem tentar parecer muito exuberantes, notadamente em uma época como a atual, em que isso é visto como um valor, uma qualidade. O inverso também pode ocorrer: caso seja conveniente, uma pessoa pode se mostrar recatada e assim encobrir uma sexualidade exuberante e até menos ortodoxa. Muitos sadomasoquistas gostam de ser reconhecidos como tais, enquanto outros querem manter em segredo suas preferências.

Não sou muito simpático a uma visão mecânica de nossa sexualidade, na qual dada quantidade de energia é canalizada em uma direção em detrimento de outra. Segundo esse tipo de teoria, o excesso de dedicação a uma área implicaria a escassez de outra. Prefiro observar os fatos, do modo mais isento possível. **Não podemos fazer nenhum tipo de generalização sobre esse assunto nem, de forma alguma, afirmar que as pessoas mais tímidas, discretas, que temem se exibir — não por não serem vaidosas, mas sim por medo de ironias ou outras repercussões negativas — tenham um vigor erótico menos intenso. O inverso também é verdadeiro: as que se mostram muito exuberantes, extravagantes no modo de vestir, de falar e de se comportar nem sempre têm toda a disposição para a intimidade sexual que sua aparência sugere.**

Cabem aqui algumas observações mais abrangentes, ressalvado o fato de que muitas serão as exceções. Grande número de pessoas que se exibem como muito exuberantes sexualmente não o são. Estão apenas exercendo sua principal fonte de prazer erótico, ou seja, a vaidade. Querem impressionar seus interlocutores, ser faladas, ouvir suspiros e sinais de admiração de todo tipo. Sentem mais prazer nisso do que nas trocas de carícias propriamente ditas; muitas até as evitam. Outras tantas tratam de se exibir e de demonstrar prendas especiais até na hora do contato sexual, de modo que estão mais preocupadas em impressionar o parceiro do que em extrair prazer daquelas trocas. Outras, ainda, apenas fingem estar sentindo o que acreditam que fará delas figuras admiradas por serem portadoras de grande exuberância e ousadia erótica.

O tipo chamado de narcisista é aquele mais preocupado em demonstrar prendas que não possui, sempre com o propósito de tentar atenuar a dor que a ausência de auto-estima determina por meio das recompensas um tanto superficiais provocadas pela vaidade. Ele trata de suprir a sensação de falta de valor interno com manifestações externas de apreço e admiração. O tipo chamado de generoso tem melhor auto-estima e prefere se destacar por prendas diferentes daquelas relacionadas com a aparência física e com a posse de bens materiais. Ele tende a ser mais discreto no modo de vestir e na exibição de qualidades mais imediatas — beleza, riqueza, *status* social etc. —, o que não significa que seja menos vaidoso, apenas exerce esse tipo de erotismo por uma via indireta.

É de esperar que, em uma época em que a exuberância sexual é tida como virtude, o tipo narcisista tenda a exagerar seu interesse e suposto vigor nessa área, coisa menos provável de acontecer com o tipo generoso. Podemos, pois, esperar muitas surpresas negativas ao conhecermos a vida íntima de uma pessoa narcisista, assim como serão positivas as descobertas acerca

da intimidade dos generosos. É claro que se trata apenas de uma regra geral. Ela é particularmente verdadeira para as mulheres: as mais exibidas e ousadas no modo de ser raramente são as mais soltas e desinibidas na relação sexual; as mais discretas e recatadas surpreenderão positivamente, mostrando uma sensualidade inesperada na hora dos contatos físicos de natureza erótica.

Pessoas do tipo narcisista muito freqüentemente utilizam todas as suas potencialidades com o intuito de obter facilidades e preencher necessidades práticas das quais são carentes. Fazem uso de todo tipo de expediente, desde a intimidação e a chantagem sentimental até a instrumentalização da sexualidade. Portanto, tudo está a serviço da sobrevivência e não do prazer. Como isso vale igualmente para o sexo, o erotismo só pode se expressar em condições favoráveis, nas quais a sobrevivência já esteja garantida. Não é raro, por exemplo, conhecermos mulheres do tipo narcisista que são frias e manipuladoras com seus cônjuges, dos quais dependem, e exuberantes com seus amantes. Suas necessidades psicológicas são preenchidas pelos maridos, de modo que se tornam livres para o exercício do prazer erótico com outros parceiros, que em muitos casos dependem delas de alguma forma.

Não esgotarei o tema aqui, pois voltarei a refletir sobre a questão sexual em outros ensaios deste volume. Quero apenas registrar que não existe correlação direta entre o exibicionismo erótico próprio da vaidade e a exuberância sexual de uma pessoa. Ao contrário, não raramente a relação é inversa, e pessoas que imaginamos muito ousadas e sensuais podem muito bem estar apenas representando esse papel para manter as aparências e satisfazer sua vaidade. **A plena expressão da sexualidade será atingida, como regra geral, pelas pessoas que forem capazes de conseguir dar um destino mais consistente a sua subjetividade. Será privilégio das criaturas que se mostrarem competentes para aceitar nossa condição de seres solitários, de que o outro não existe para nos salvar da dor da incompletude, de que é mais importante nos dedicarmos aos valores intrínsecos que nos aquecem com uma auto-estima melhor. Será privilégio das pessoas que compreenderem que as coisas da aparência relacionadas com a vaidade são muito interessantes, mas um tanto vazias, e que vale mais a pena irmos atrás dos prazeres mais consistentes — isso se aplica até aos aspectos da vida erótica, uma vez que acredito que as trocas de carícias determinam estímulos táteis de boa intensidade; acredito também que tais estímulos são mais interessantes do que as vibrações difusas da vaidade. Será privilégio das pessoas que compreenderem que a raiz etimológica da palavra "vaidade" é a mesma da palavra "vão": vazio.**

CONCLUSÃO: NARCISISMO É UM CONCEITO PREJUDICIAL

À luz de tais observações, fica difícil sustentar, a meu ver, o conceito de narcisismo. Não vejo utilidade prática para seu uso, muito menos qualquer sentido teóri-

co. O que vejo são inúmeros prejuízos derivados dessa tendência que temos de nos apegar de modo rígido a certos conceitos e às palavras que os representam. O termo tem sido usado de modo muito equivocado nos últimos anos, época que tem se caracterizado pela permanente tentativa de dar sustentação e validade moral a comportamentos que são basicamente egoístas e oportunistas. Certas características próprias desse tipo de pessoa têm sido tratadas como virtudes, louvando-se a extroversão e a facilidade no trato superficial com as pessoas. A verdade é que os narcisistas só vão bem no trato superficial, uma vez que são incapazes de falar sobre si mesmos, sobre suas fraquezas e inseguranças. São pessoas muito agressivas e não têm pudor algum em usar tudo que venham a saber sobre os outros para atacá-los, caso isso seja de sua conveniência. Dessa forma, têm muitos "conhecidos", mas são incapazes de cultivar as verdadeiras amizades, baseadas na cumplicidade e na sinceridade. O inverso se dá com aqueles tidos como introvertidos, que, como regra, se relacionam muito melhor no trato íntimo com as pessoas. O tipo narcisista é aquele que gosta muito das proposições superficiais, defendidas por alguns psicólogos, de que é importante "colocar para fora tudo que você está sentindo" justamente porque é incapaz de controlar seus sentimentos e emoções.

A era do narcisismo, de que é preciso "amar e cuidar muito bem de si mesmo", coincidiu com um momento muito pouco interessante de nossa história.

Creio que o único grande benefício que teremos extraído desses últimos anos é que eles têm nos ajudado a tirar o véu de pureza de cima das pessoas, das instituições e dos povos. Temos podido ver cada vez melhor o lado interesseiro, imediatista e nada preocupado com os outros que norteia a maioria das pessoas, mesmo muitas daquelas que sempre tentaram passar por criaturas éticas e voltadas para o interesse coletivo. A era do narcisismo, que já está terminando, serviu para que pudéssemos pôr fim à hipocrisia, uma vez que muitos tiveram a coragem de se mostrar de modo inequívoco. Nessa época em que as pessoas passaram a mostrar todo o seu egoísmo, pois isso deixou de ser tratado como coisa feia, pudemos ver como evoluímos pouco do ponto de vista moral.

É muito importante deixarmos de usar a palavra "narcisismo". Não acho que ela possa nos ajudar em mais nada. Necessitamos, a partir de agora, de conceitos mais precisos, valores mais bem definidos, aproximações mais rigorosas dos fatos. O ponto culminante da era em que o termo "narcisismo" serviu de cortina de fumaça para encobrir todo tipo de desvio moral foi dado pelo uso da expressão "eu me amo", que tem sido utilizada — cada vez menos, felizmente — para dar dignidade e decência a óbvios comportamentos egoístas. O termo "egoísmo", sempre é bom lembrar, não é sinônimo de "individualismo". Ele corresponde a uma postura de usurpação, de apropriação indébita de algo que não pertence a dada pessoa. O egoísta usa de todo tipo de pressão para obter do outro algo que deseja. Como regra, não utiliza arma de fogo ou faca. Suas vítimas costumam ser pessoas próximas, usualmente parentes. São essas as duas características que mais o diferenciam daquele que rouba e é preso. O egoísta faz tudo que pode para levar vantagem, desde que não corra o risco de ir para a cadeia.

"Eu me amo" pode ter parecido uma boa expressão, uma boa forma de descrever o modo de vida atual, mais exuberante e extravagante do ponto de vista do exibicionismo físico e dos cuidados com o corpo — que tomaram conta da vida de quase todos nós. Contudo, volto a insistir, em vez de ser uma declaração do valor e da importância do narcisismo, ela foi usada pelas criaturas de conduta ética muito duvidosa para justificar e dar dignidade a suas práticas perversas. O fim da era do egoísmo disfarçado em "eu me amo" também deve marcar, a meu ver, o fim do uso do termo "narcisismo". Acoplar a palavra "amor", sagrada para a maioria de nós, a práticas egoístas foi, sem dúvida, uma idéia muito interessante e típica dos cérebros competentes para a construção de sofismas. Não temos de nos tornar cúmplices de uma trapaça tão grosseira e perigosa.

Narcisismo está definitivamente associado a egoísmo e não a amor por si mesmo. O narcisista tem de si um péssimo juízo. E não poderia ser de outra maneira, pois aquele que é dependente e precisa se apropriar do que não lhe pertence só pode se reconhecer como um fraco. A auto-estima quase nula tenta se esconder sob o manto de uma vaidade exagerada, em que a extroversão e o contínuo incensar dos pequenos feitos correspondem ao discurso usual dessas criaturas. **O que não tem mais sentido é serem capazes de continuar enganando tantas pessoas, até os profissionais de psicologia. São perdedores que tentam fingir que são felizes e bem-sucedidos. São a personificação da farsa, uma vez que já desistiram de ser felizes e agora tentam apenas enganar os outros.** Não querem que as pessoas saibam a verdade: que se sentem fracos, inquietos por dentro, incapazes de ficar consigo mesmos — daí a extroversão — e acovardados diante de todas as situações nas quais o fracasso é possível, já que, segundo eles, isso mostraria aos outros as limitações tão rigorosamente escondidas.

Essas pessoas não se caracterizam por ter amor por si mesmas. Além disso, os que acompanham minhas reflexões acerca do amor sabem que acredito que o fenômeno amoroso, que entendo como totalmente diferente do sexual, depende da existência de um objeto externo. A sensação de incompletude busca uma solução por meio da aliança com outra pessoa, com um povo ou com um deus. O amor é o sentimento que desenvolvemos por aquele que atenua a dor do desamparo, a qual está associada à sensação de incompletude. O amor é o sentimento que temos por aquele que atua como remédio para a dor que sentimos pelo fato de nos percebermos como fração e não unidade. Dessa ótica, não faz sentido pensarmos em amor por si mesmo. Na prática, seu uso tem estado a serviço de dar dignidade ao egoísmo e, na teoria, é, a meu ver, um erro derivado da não-separação entre amor e sexo — sim, porque do aspecto sexual existe mesmo certo "fascínio" por si mesmo, que está relacionado com a vaidade. Se o termo não interessa nem do ponto de vista teórico nem do prático, nada mais razoável que nos livremos dele.

Outra observação, e que segue na mesma direção do "eu me amo", é relativa ao enorme engano que está na boca de todas as pessoas como se fosse verdade indiscutível. Trata-se da afirmação de que "para poder amar o outro, é óbvio que é preciso primeiro amar a si mesmo". As pessoas usam mesmo a palavra "óbvio" nesse caso e isso sempre me deixa um tanto perplexo, pois parece que, usando-a, estamos impedidos de qualquer consideração contrária àquilo que está sendo afirmado.

Não é conveniente usar a expressão "amor por si mesmo" quando queremos nos referir a uma boa auto-estima, ao fato de estarmos bem e contentes com nós mesmos, tampouco confundi-la com "amor-próprio", como sinônimo — inadequado — de "orgulho" e "dignidade".

Quando penso mais serenamente sobre tais questões, fico muito impressionado com a confusão que fomos capazes de fazer com o uso indevido e generalizado da palavra "amor". Estar bem consigo mesmo, sentir orgulho de ser e viver de dada forma é maravilhoso! É um estado de espírito, determinado pela vitória de nossa razão sobre nossos impulsos, que deve ser buscado o tempo todo. O prazer principal está relacionado com o fato de termos sido capazes de dar um destino interessante e uma solução boa aos dilemas de nossa existência. Isso determina um prazer intelectual que, segundo meu modo de entender, é totalmente independente e autônomo dos prazeres eróticos e sentimentais. **Sentimo-nos felizes por termos podido aprender o suficiente para atingir aquele patamar de realizações. A associação desse prazer interno com a antevisão de glórias exibicionistas relacionadas com virtudes que efetivamente cultivamos apenas complementa e dá um sabor a mais às boas sensações que experimentamos quando estamos vivendo períodos de boa auto-estima.**

Amor-próprio é uma coisa, auto-estima é outra e amor por si mesmo, se existisse, seria uma terceira. Agora, ainda que auto-estima e amor-próprio significassem o mesmo que "amor por si mesmo", nem assim seria verdadeira a afirmação de que é necessário amar a si mesmo para poder amar outra pessoa ou o próximo. Essa maneira de pensar deve ter sido estabelecida por dedução e é um bom exemplo dos perigos desse caminho para quem busca a verdade acerca da subjetividade. **Sendo verdadeira a afirmação bíblica de que se deve "amar o próximo como a si mesmo", pode-se deduzir que aquele que não conseguiu amar o próximo agiu assim porque não foi capaz de amar a si mesmo. Sendo verdadeira a noção de que só pode amar o próximo quem ama a si mesmo, conclui-se pela necessidade imperiosa de amar a si mesmo para poder amar o outro.**

A experiência cotidiana no trato com os seres humanos reais não confirma tais deduções. **O que observa-**

mos o tempo todo é exatamente o contrário: as pessoas amam porque se sentem incompletas e mal em si mesmas. É muito provável que, na medida em que venhamos a ser capazes de nos sentir como unidade e não fração, nossa capacidade de amar diminua muito. Aliás, no caso do amor mais comum, caracterizado pela fusão, pela tentativa de os dois se transformarem em uma só carne, o sentir-se inteiro passa a ser um obstáculo definitivo. Ou seja, amam intensamente o próximo pessoas que se sentem mal consigo mesmas, que fazem um juízo — devido ou indevido — negativo de si mesmas, que possuem pouco amor-próprio e pouca auto-estima. É verdade que o narcisista tem muito medo de amar. Isso acontece por motivos que não têm relação direta com a baixa auto-estima, que, apesar de muito camuflada, aqui é, mais do que em qualquer outro caso, dominante. O narcisista não ama porque suportaria mal as dores relacionadas com eventuais perdas e porque, ao não amar e ser amado, sente-se mais bem posto do ponto de vista estratégico. Não devemos esquecer que ele necessita, antes e acima de tudo, tirar proveito prático dos relacionamentos, uma vez que seu objetivo principal é suprir suas limitações.

Assim, ainda que amor-próprio, auto-estima e amor por si mesmo fossem a mesma coisa, nossa capacidade de amar o próximo independe totalmente do que porventura sintamos por nós mesmos. Amamos porque queremos nos sentir melhores e não como uma expressão de já estarmos bem. Amamos para nos sentir com-

pletos e não como distribuição do que nos sobra. O generoso, que dá muito mais do que recebe, o faz com o intuito de prender, de dominar aquele que se beneficia de suas doações. É verdade que está gerando uma riqueza extra, só que o uso para um fim assim duvidoso mostra mesmo é que tem de si um juízo negativo, uma auto-estima baixa. Se não fosse isso, para que tanto empenho em "prender" o outro? Por que tanto medo de ser abandonado?

As poucas pessoas que têm boa auto-estima — e que sempre são as que toleram bem as dores de todo tipo, entre elas as relacionadas com perdas amorosas — não são tão generosas. Tendem a um comportamento justo, em que o dar e o receber buscam o ponto de equilíbrio, assim como ao amor, uma vez que, mesmo tendo um bom juízo de si mesmas, se sentem incompletas. A única e fundamental diferença é que pessoas que têm boa auto-estima costumam se encantar por pessoas parecidas com elas mesmas. O contrário, é claro, acontece com aquelas que não têm de si boa impressão. Assim, poderíamos concluir que, do mesmo modo que nas amizades, também no amor vale o ditado: "Dize-me com quem andas que te direi quem és". Talvez aqui caiba a seguinte modificação: "Dize-me com quem andas que te direi o que pensas de ti".

Devemos dar um basta nas confusões que permeiam a palavra "amor", uma vez que elas são da conveniência dos que não amam e se beneficiam dos erros das pessoas bem-intencionadas, todas elas fãs incondicionais

do amor, não importando muito o que a palavra queira dizer. Não existe, segundo o conjunto de pontos de vista que venho extraindo das décadas de prática psicoterápica, nada parecido com "amor por si mesmo" em nossa psicologia. O que de mais parecido existe é, de um lado, a vaidade — elemento erótico por excelência — e, de outro, a auto-estima — relacionada com as funções da razão. Não existindo amor por si mesmo, não vejo motivo para continuarmos a usar o termo "narcisista", que é pomposo, mas que encobre uma farsa grosseira.

CIÚME OU "CIÚMES"?

três

É FALSO O ANTAGONISMO ENTRE O "BIOLÓGICO" E O "CULTURAL"

O título indica que a hipótese que defenderei neste ensaio é a de que existe mais de um modo de sentir ciúme. As diferenças entre eles são de monta e significância, além de serem sentimentos que se originam de fontes psíquicas bastante diversas. **Já de início gostaria de afirmar que considero o ciúme um sentimento muito negativo. Não sou nem um pouco simpático ao ponto de vista de tantas pessoas que acham bom que seus parceiros românticos sejam um tanto ciumentos, pois isso seria indicativo da presença de intenso sentimento amoroso. É verdade que o ciúme surge sempre que existe algum risco de perda da pessoa com a qual nos relacionamos, porém aquelas que mantêm o relacionamento por medo de perder regalias ou por temor à solidão também sentem muito ciúme.** Muitas vezes, são as criaturas mais ciumentas e as que mais explicitamente o exercem, uma vez que se atribuem o direito de interferência sobre o outro. Assim, as pessoas que com mais freqüência sentem ciúme não são, como regra, as que mais intensamente amam, mas as que mais temem perder o parceiro, o que corresponde, antes de tudo, à fraqueza pessoal e ao medo de lidar com frustrações, dores e perdas práticas de todo tipo.

Outra questão que imediatamente surge em nossa mente quando tentamos pensar sobre sentimentos como o ciúme está relacionada com sua origem. Afinal, trata-se de um sentimento determinado por nossa biologia? Ou é fruto de um tipo de estrutura social, econômica e política em que a propriedade privada dos bens se estendeu, estabelecendo até o direito à posse de seres humanos? O tema é atraente e muito relevante, apesar de um tanto árido. Dispomos de muito pouco conhecimento para resolver de modo definitivo essa questão. Tentarei fazer algumas reflexões, certamente incompletas, com o propósito de introduzir o leitor na atmosfera psíquica em que julgo interessante estarmos para melhor lidar com a complexa questão relacionada com nossos sentimentos essenciais, entre eles o ciúme.

É forte minha convicção de que é falso o antagonismo entre biologia e cultura, entre o que é definitivamente estabelecido por nossas propriedades genéticas e o que em nós é inculcado por meio do convívio com o meio social no qual crescemos. As pessoas que atribuem maior ênfase ao aspecto cultural de nossa formação costumam ser mais otimistas em relação a nosso futuro como espécie. Acreditam que muitas de nossas peculiaridades anti-sociais se dissolverão ao longo da história, desde que se criem condições políticas e econômicas mais favoráveis. As que enfatizam a hipótese de que somos intensamente determinados

por nossas particularidades biológicas tendem a ser mais pessimistas, uma vez que acreditam na existência de alguns entraves definitivos que impedem o bom e rico relacionamento entre as pessoas. Nossa natureza nos faz competitivos, agressivos e predadores, entre outras propriedades, de modo que sempre agiremos sob a influência desses impulsos. Se levarmos em conta o ponto de vista dos que acreditam que nossa conduta é determinada mais do que tudo pelas peculiaridades biológicas, jamais poderemos levantar a hipótese de uma sociedade essencialmente justa e igualitária, uma vez que somos todos diferentes e os mais bem-dotados sempre tratarão de se cercar de privilégios. Tendem a defender uma estrutura política chamada de liberal, que prega uma interferência mínima do governo sobre os negócios das pessoas, cujos interesses se harmonizariam — se é que podemos usar essa palavra — de modo semelhante ao equilíbrio entre os animais nas selvas primitivas. Os mais fortes ocupariam territórios maiores e teriam de deixar espaço para que os menores e mais fracos também se reproduzissem, até mesmo para que pudessem comê-los na hora oportuna!

Os que defendem a tese da importância das experiências humanas — das interações entre cada nova criança e os meios familiar e social nos quais ela se insere — sobre nosso comportamento acham que a grande maioria dos desajustes sociais e políticos que existem poderão ser resolvidos por meio da constituição de novas formas de interação. São os que defendem posturas políticas social-democratas, nas quais o poder central tem de ser forte para preservar os direitos dos menos dotados, sempre imaginando que sociedades mais justas darão, um dia, frutos mais igualitários. Em um limite extremo, algumas dessas pessoas mais otimistas até mesmo já sustentaram a tese de que determinadas mudanças intermediadas por nossa inteligência poderiam se tornar hereditárias. Essas hipóteses ingênuas não poderiam deixar de se mostrar um fracasso. No entanto, pesquisas contemporâneas sobre engenharia genética provavelmente terão um destino muito diferente.

Sem entrar no mérito de questões científicas que mal conheço, penso que elas são um bom exemplo do que estou tentando transmitir quando afirmo que o antagonismo entre biologia e cultura é falso. **Nossa inteligência e a capacidade que adquirimos de usá-la se entrelaçam. A inteligência é biológica e a capacidade de usá-la é cultural. O *hardware* é biológico, ao passo que o *software* é cultural. Por meio do uso da razão, somos capazes de modificar nossa biologia. Esta, uma vez modificada, abre espaço para novos avanços no campo das relações entre as pessoas. Não existe, em nossa espécie, a menor possibilidade de pensarmos de forma estática. Estamos em permanente mudança, porque não paramos de usar nosso cérebro com o objetivo de modificar os ambientes físico e humano em que vivemos.** Creio que é insuficiente dizermos que somos competitivos, agressivos e predadores e é ingenuidade pensarmos que poderemos deixar de sê-los. Nossa biologia nos limita, mas não a ponto de nos impor uma espécie de camisa-de-força. Ela define o máximo e o mínimo entre os quais poderemos, por meio do conhecimento adquirido e do uso da razão, gravitar com certa liberdade.

Além do mais, nossa inteligência pode criar condições capazes de modificar, ainda que artificialmente, nossa biologia. Foi o que aconteceu com a pílula anticoncepcional, que separou o sexo da reprodução. Determinou drásticas alterações em nossa biologia e estas abriram as portas para fantásticas mudanças em nosso modo de vida. Não consigo sequer pensar sobre as conseqüências psicológicas e sociais de alterações ainda mais profundas, tais como crianças geradas em incubadoras, sem pai nem mãe, sem contar que esses fetos poderão ter suas peculiaridades genéticas modificadas durante os meses de formação. Estaremos diante de novos homens que definirão novos tipos de interação e novas ordens sociais.

Esse é o verdadeiro universo de nossa espécie, no qual biologia e cultura se misturam de forma inseparável, no qual cada peculiaridade biológica pode se exercer de várias maneiras, dependendo da diversidade da vida social. Além disso, dentro de uma mesma sociedade, dada postura é sentida e julgada de forma diferente, conforme cada momento, cada período do ano. No caso do ciúme, por exemplo, o vivenciamos de modo muito distinto durante as festividades carnavalescas. Em razão da postura mais permissiva de toda a sociedade nessa época do ano, muitas pessoas sofrem menos, sentem-se menos traídas durante um baile de carnaval do que em outras ocasiões. O exibicionismo feminino, que tanto incomoda os parceiros no resto do ano, parece menos ofensivo. Em tribos primitivas, a ordem familiar se desorganizava em dias festivos, decididos pelos líderes, nos quais a sexualidade se tornava livre e indiscriminada. Nesses dias, o ciúme não era bem-visto e, se existia, pouco se manifestava.

Sempre me impressionou o fato de o ciúme ter fortes relações com o papel que uma pessoa desempenha na vida da outra. O amante tem ciúme de todas as outras pessoas menos do cônjuge da amada, pois ele tem mais "direitos" sobre ela. Se o amante se tornar o "titular", imediatamente passará a ter ciúme do ex-cônjuge. Este, se tiver chance de se reaproximar da ex-esposa, agora como amante, não sentirá ciúme de seu novo companheiro. Ao mesmo tempo, deixará de se sentir traído, humilhado e passará a se ver como o traidor. Igualmente, o amante traidor agora se sentirá traído.

Tais observações, que falam a favor da existência de um ingrediente cultural muito intenso na questão do ciúme, não devem ser interpretadas como uma insinuação de que esse sentimento seja desprovido de fundamento biológico. Não é prudente pensarmos que todos os elementos possessivos que nos caracterizam estejam apenas relacionados com uma sociedade em que o tema da propriedade é fundamental. É muito provável que existam fortes componentes, próprios de nossa biologia, que nos impulsionam na direção da busca de exclusividade em nossos relacionamentos afetivos e que interagem em nossa subjetividade de forma complexa, misturando-se com reflexões que derivam de vivências de nossa história pessoal e com o modo como nos colocamos diante de nossos pares, produzindo resultados típicos de cada cultura, de cada época e de cada mente.

Minha posição é otimista no que diz respeito à construção de novas possibilidades para nossa espécie. Acredito que somos capazes de evoluir e reagir de modo diferente diante de cada situação. Nossa biologia só nos limita parcialmente e sempre torna o processo evolutivo mais lento e difícil. Assim, sou otimista, mas não ingênuo. Não creio no reinado das idéias sobre os fatos, tampouco os considero imutáveis, nem mesmo aqueles fortemente influenciados por nossa biologia. Nosso mundo interior é similar a um caleidoscópio, no qual são inúmeras as combinações possíveis, cada uma delas determinando um resultado final novo. O rearranjo das peças do quebra-cabeça que nos compõe poderá provocar o surgimento de novas posturas, e estas gerarão novas sensações e novos sentimentos.

Todos os processos de mudança dependem, para serem desencadeados, de dois ingredientes: de uma quantidade importante de informação acerca dos elementos que nos caracterizam e do estabelecimento de um projeto, realista, de aonde se pretende chegar. Ao insistir no caráter realista de dado projeto, quero reafirmar que não é prudente subestimarmos nossas peculiaridades biológicas e nossos condicionamentos históricos. Devemos avaliar bem o estágio de evolução do conhecimento relativo ao tema que estamos estudando, de modo a termos uma idéia objetiva de nossas possibilidades. É preciso querer e saber que provavelmente não atingiremos tudo que desejamos, pois temos de ser realistas e ser movidos por um desejo de mudança, de aprimoramento. Não cabe a postura acomodada e depressiva, tampouco aquela exageradamente otimista e ingênua.

Não há obstáculos definitivos para nossa espécie. Contudo, em cada época existem os limites impostos pela precariedade de nosso conhecimento e pela limitação de nossa força psíquica. De todo modo, penso que uma das características psíquicas que tornam a vida fascinante e interessante de ser vivida é aquela que nos volta para a frente, sempre em busca de novas e melhores soluções para nossos dilemas internos. **É com esse espírito que escrevi o texto que se segue, no qual o esforço para a dissecção do ciúme e análise de seus ingredientes constituintes tem por principal objetivo a busca de novos caminhos que nos levem à atenuação — e talvez um dia à extinção — desse sentimento. Sim, porque o ciúme não traz consigo nenhum aspecto construtivo nem é peça importante do fenômeno amoroso.** Trata-se de um grave estorvo, os "espinhos da rosa", como dizia o poeta — e acredito que a rosa seria mais interessante sem eles.

O ciúme é um sentimento que nos leva a agir tentando limitar os direitos da pessoa à qual estamos ligados. É, pois, um ingrediente de nossa subjetividade que se coloca em oposição à liberdade individual, atribuindo a seu portador uma boa desculpa para tentar restringir os passos de outra pessoa. Quase sempre se exerce em nome do amor. Sabemos que essa palavra é mágica: tudo é válido, possível e digno, desde que seja decorrente do amor. Não penso assim e me entristece que as pessoas se deixem dominar e abram mão da merecida e devida liberdade em nome do que quer que seja.

Acredito que a batalha contra o ciúme, que pode durar séculos, se inicia por um posicionamento claro e definitivo contrário a esse sentimento. Temos de parar de ter uma postura equívoca com relação ao ciúme, que em nenhuma condição é bem-vindo. Pode ser que ainda apareça muitas vezes em nossas ações cotidianas, em nós e naqueles com os quais nos relacionamos. Entretanto, temos de nos definir de modo claro: trata-se de sentimento negativo, nefasto e prejudicial à liberdade individual. Precisamos nos livrar dele. Enquanto isso não acontecer — e não será fácil que aconteça em curto prazo —, temos de nos regozijar por qualquer pequena vitória que consigamos obter no caminho de aprendermos a controlá-lo. Não devemos, em hipótese alguma, ser condescendentes diante de uma crise de ciúme nossa ou das pessoas com as quais convivemos.

O CIÚME SEXUAL

Uma análise mais detalhada do ciúme nos mostra que esse sentimento tem mais de uma faceta; é composto de pelo menos três ingredientes. Em suas manifestações mais elementares, ele se expressa em torno da sexualidade. São bem mais complexas aquelas que se referem à possessividade que manifestamos diante das pessoas e das coisas que nos são caras, especiais. Mais complexa ainda se torna a questão quando a ela se acrescenta um elemento mais geral, relacionado com o medo que temos de perder tudo e todos os que nos são preciosos. Vamos nos deter inicialmente no aspecto sexual do ciúme, o mais simples e aquele que, na maioria dos casos, chama primeiro nossa atenção.

Quando duas pessoas estabelecem qualquer tipo de compromisso que as vincule, ainda que despretensioso e superficial, parece que imediatamente se sentem com alguns direitos de interferência sobre o modo de ser e de agir da outra. Falo em compromissos elementares, tais como aqueles que dois adolescentes estabelecem quando dizem que "estão de rolo" com alguém. Não se trata, pois, de nenhum tipo de envolvimento sentimental mais relevante, e sim de uma aproximação física rápida, que pretende se repetir em outras ocasiões, mas que não tem sequer data bem definida para acontecer. É curioso observar que, a partir daí, se o rapaz ou a moça sair com outro parceiro e com ele mantiver qualquer tipo de intimidade física, isso já lhe provocará a dolorosa sensação de traição que traz consigo o sentimento de ciúme. **A definição rigorosa de ciúme, ainda que puramente descritiva, é difícil de ser feita. O sentimento é composto de vários elementos. O primeiro é o de sentir-se traído, ofendido, desrespeitado em algum direito, ainda que vago e indefinido. Tal estado determina uma**

reação de raiva e desejo imediato de vingança. E a ânsia de retaliação varia desde o ímpeto de pagar na mesma moeda para provocar sentimento igual no parceiro — se é que, no caso do "rolo", se pode usar essa palavra — **até o de agir de modo violento contra ele.**

Em suas manifestações mais singelas, o ciúme tem importante correlação com a humilhação, com uma ferida na vaidade, com a sensação de ser tratado com descaso e inferioridade, de ter sido preterido, trocado por alguém mais interessante. Nos casos que estou tentando relatar não existem os ingredientes amorosos que usualmente determinam um elemento possessivo de natureza mais complexa e do qual tratarei logo mais. Não que o ciúme sexual não possa existir em concomitância com as questões do amor. Estou dizendo que pode existir isoladamente, mesmo que não haja vínculos afetivos mais intensos. Quando estes também existem, ao fenômeno do ciúme sexual se acoplam outros fatores.

O ciúme sexual se manifesta, como regra, em torno do tema da visão. Há uma importante diferença na natureza sexual do homem e da mulher no tocante ao desejo visual. Este é muito mais intenso nos homens. As mulheres se apercebem precocemente desse fato e gostam muito de se fazer atraentes para eles. Excitam-se ao se perceberem desejadas. Os homens desejam muito mais intensamente o corpo feminino do que se sentem desejados, o que lhes desperta alguma frustração e revolta. Podemos mesmo dizer que a grande maioria dos homens sente inveja do poder sensual feminino.

Se um casal, que mal está começando a se conhecer, decidir ir a um bar, por exemplo, e ele notar que outros homens olham com interesse para sua companheira, isso o deixará, de um lado, orgulhoso, uma vez que fará bem a sua vaidade estar ao lado de uma mulher que desperta a cobiça de outros homens, mas, de outro, ficará enciumado, irritado diante de uma situação na qual ela possa estar chamando mais atenção do que ele. **É por causa desse aspecto que alguns autores estabelecem uma importante relação entre ciúme e inveja. De fato, podemos dizer que o sucesso da moça pode muito bem determinar a inveja do rapaz: "Por que olham mais para ela do que para mim?"** A inveja contém os ingredientes da humilhação, que dá origem a um desejo agressivo de fazer algo que provoque igual dor no outro.

O que fazem muitos rapazes? Quando entram em um lugar público ao lado de uma moça que chama muito a atenção, tratam de imediatamente buscar todas as outras mulheres atraentes e fixar o olhar nelas, o que, é claro, humilhará a moça que o acompanha, que sentirá a dor do ciúme. A mulher provoca o ciúme do homem ao ser olhada por outros, e o homem provoca o ciúme da mulher que o acompanha olhando para outras. Quando o relacionamento se consolida, surge no homem o desejo de enfraquecer o poder sensual da mulher com a qual está envolvido, de modo que passa a "pedir" a ela que corte os cabelos, use saias mais compridas, evite decotes exagerados, saltos muito altos, tudo, enfim, que possa ser atraente para os outros homens. A mulher em questão fica em uma situação delicada, pois agradar ao homem será prova de interesse por ele; ao mesmo tempo, fazer tudo que ele pede implica transformar-se em uma criatura menos atraente também para ele!

Muitas mulheres ficam profundamente irritadas quando seu parceiro tem olhos para outras mulheres. Sentem-se muito desprezadas e enciumadas quando, em um restaurante, por exemplo, percebem que seus olhos não param de observar todas as pessoas, em particular as mulheres. Gostariam de mandar nos olhos dele, de tapá-los quando, na televisão, aparecem moças seminuas. Não entendem por que olha tanto para o "traseiro" de todas as mulheres que por ele passam, supostamente porque não sentem o mesmo tipo de desejo sexual que ele. **Essa é uma razão importante pela qual o ciúme se expressa de forma tão intensa pela via da visão: os homens não entendem exatamente como pensam e sentem as mulheres, assim como elas não apreendem precisamente como funciona a sexualidade masculina. As dificuldades no entendimento das diferenças entre os sexos são muito grandes, sobretudo na época atual, excessivamente louvadora da igualdade. Devemos lutar pela igualdade de direitos e de responsabilidades entre os sexos, mas isso não pode significar um descaso pelas diferenças que existem na biologia e, em especial, na função sexual.**

A correlação entre ciúme e inveja me parece, ao menos do ponto de vista do ciúme sexual, indiscutível. Tudo leva a crer que ambos os sentimentos têm relação com a ofensa à vaidade, o que determina a sensa-

ção primária de humilhação. O ciúme sexual corresponderia a um caso particular de inveja do poder sexual que o parceiro tem — e que é diferente do nosso — e do poder que ele possui de nos humilhar ao dar sinais de interesse erótico por outra criatura; registramos tal interesse como uma preferência por outra pessoa em prejuízo do interesse por nós. Sentimo-nos humilhados e irados. Temos um desejo imperioso de interferir na conduta do outro, prejudicando ao máximo seus passos a fim de estabelecer algum novo relacionamento. Queremos intensamente ser mais interessantes e despertar mais o desejo do que nossos concorrentes, agora percebidos como rivais. Esse tipo de sentimento atiça a competição e a hostilidade entre as pessoas.

Ao seguir essa linha de raciocínio, não estou dando muita ênfase à infidelidade sexual propriamente dita, ou seja, ao efetivo encontro físico entre nosso parceiro e outra pessoa. A presença desse ingrediente torna muito mais grave e intensa a dor que experimentamos do que quando nos sentimos traídos apenas em razão dos aspectos relativos aos fenômenos visuais. Pode ser um tanto simplificador, mas acredito que o efetivo encontro erótico com outra pessoa altere essencialmente a intensidade do que se sente, isto é, determine dor quantitativamente mais intensa, porém de natureza idêntica. O que estabelece fortes e dramáticas sensações, diferentes das anteriores, é quando esse encontro erótico se dá em clima de envolvimento sentimental, o que confere gravidade muito maior para o acontecimento.

O ciúme parece autorizar uma pessoa a interferir no destino da outra. Já ficou mais que evidente que essa é a propriedade contra a qual mais me revolto. O fato de outra pessoa agir de uma forma que me é incômoda só me autoriza, segundo acredito, a sair de perto. Infelizmente, nem todos pensam assim. Por estarem incomodados pelo ciúme, acham que podem interferir no jeito de ser do parceiro — amado ou não. Por conseguinte, **o ciúme, tido como emoção aceitável e digna, passa a ser o sentimento que avaliza a dominação, a tirania e legitima a intromissão de uma pessoa no modo de ser da outra.**

Ao pensarmos um pouco mais profundamente, vemos que esse sentimento visto como digno muitas vezes encobre a inveja, tratada como vil e depreciadora de quem a experimenta. Estamos de volta ao terreno dos enganos, no qual os beneficiados são sempre os mesmos: os que estão mais preocupados com a imagem que refletem do que com a verdade. É muito freqüente descrevermos que certas condutas são movidas pelo ciúme quando o sentimento que está em jogo é a inveja. Isso é obviamente verdadeiro nas situações eróticas já descritas, uma vez que os homens gostariam mesmo é de entrar em um local público e, olhando ao redor, perceber todas as mulheres suspirando de desejo por eles apenas em virtude de sua aparência física. Ao notarem que é exatamente o que acontece com as mulheres com as quais estão convivendo, sentem inveja, emoção que demonstra com clareza a condição de inferioridade que experimentam. **Ao afirmarem que sentem ciúme e não inveja, estão invertendo o valor do mesmo sentimento: ciúme pode subentender sentimento amoroso, desejo de proteger e querer preservar a companheira do assédio dos outros homens etc. Passam a se sentir em um papel digno e até valorizado, em vez de serem depreciados pelo reconhecimento da inveja, que define sempre a sensação íntima de inferioridade.**

Muitas situações nas quais o que predomina é a inveja se dão em condições mais relacionadas com o fenômeno amoroso, e é muito comum usar o termo "ciúme" como se fosse sinônimo dela. Por exemplo, quando uma menina diz que está com ciúme da atenção dada a sua irmã mais nova, elogiada por ser muito bonita, o que ela sente, de fato, é inveja. Irmãos podem sentir ciúme um do outro, mas sentem também inveja, porque um poderá ter privilégios naturais que o outro não tem. Essa distinção, indispensável para aqueles que querem pensar com mais rigor, nem sempre é muito fácil de ser feita. Insisto na importância de tal separação principalmente porque costumamos avaliar a inveja como sentimento negativo e o ciúme como positivo. **Tenho sido claro em minha posição: a inveja e o ciúme são sentimentos que devem ser tratados de forma neutra do ponto de vista da moral; no entanto, é bom que nos posicionemos, com o apoio de nossa racionalidade, como contrários a sua expressão, pois determinam agressões e restrições inaceitáveis à liberdade das pessoas.**

A vaidade pode se exercer em mais de uma direção. Logo, se o sinal que se atribui ao ciúme for invertido — de sentimento positivo, como é hoje, para negativo —, não será difícil fazer que as pessoas consigam sentir orgulho por não interferir nos movimentos e no livre caminhar daquelas com as quais convivem. É evidente que nada é tão simples, que existem elementos amorosos envolvidos em muitos casos de ciúme, que as pessoas são muito inseguras e sempre temem acontecimentos negativos, principalmente quando sentem que não controlam as situações que lhes são relevantes. Contudo, não há dúvida de que, se parássemos de ridicularizar uma pessoa porque seu parceiro se aproximou sexualmente de outra — se isso deixasse de ser motivo de vergonha e humilhação social, caso desaparecesse enfim a figura terrível do "cornudo" —, muito do ciúme sexual que tantos sentem, até por criaturas que não lhes são relevantes, desapareceria imediatamente.

As pessoas estão sempre muito mais preocupadas com o que os "outros" estão achando delas do que costumam manifestar. Nesse item em particular — o do ciúme sexual —, os homens são ainda mais sensíveis à opinião pública do que as mulheres. Agem de modo repressivo sobretudo porque não querem ser malfalados nem ofendidos em sua virilidade. Sim, porque, no mundo real, aqueles que não cuidam de "suas mulheres" nem as reprimem ainda são tidos como inferiores, como menos "machos". Sentem-se compelidos a cuidar da "reputação" delas, pois isso determina a reputação deles. É necessário acabar com isso e chegar a um estágio de desenvolvimento no qual cada um seja responsável por sua conduta.

Muitas são as mulheres que, percebendo esse tipo de fraqueza no modo de ser do homem com quem estão convivendo, agem intencionalmente para lhe provocar humilhação pública. Poderão se insinuar para seus amigos ou ter posturas sedutoras que determinem não só críticas a elas como também a seu parceiro. Tais mulheres agem assim por inveja dos homens, com o intuito de rebaixá-los. Nada muito digno de respeito.

Portanto, o ciúme relacionado com as questões sexuais tem mesmo muita ligação com a inveja, condição que nos remete à vaidade e a seus subprodutos. Muitos são os jogos, praticados tanto pelas mulheres como pelos homens, cujo objetivo é provocar o companheiro, humilhá-lo ou dominá-lo. O ciúme sexual está, pois, comprometido com procedimentos muito duvidosos do ponto de vista moral.

O CIÚME RELACIONADO COM O AMOR

Os processos psíquicos relacionados com o fenômeno amoroso são também importantes causadores do ciúme. Aqui os mecanismos são totalmente diferentes dos que descrevi para as situações exclusivamente sexuais. Envolvem alguns aspectos de nossa personalidade que talvez ainda tenham de ser muito mais bem explorados pela psicologia. Quero me referir de modo muito especial à possessividade e ao desejo de exclusividade que tendemos a ter em todas as nossas ligações afetivas. O fenômeno é tão intenso e abrangente que com freqüência se expande até para a relação que temos com os animais de estimação e com determinados objetos pelos quais desenvolvemos um tipo particular de apego e afeição.

Temos de nos voltar, mais uma vez, para a origem da vida de cada um de nós. Nosso corpo e nossa mente se formam de maneira tal que nossas primeiras sensações nos dão conta de estarmos acoplados, fundidos a outro corpo. Nossos registros iniciais são, provavelmente, de uma harmonia associada à simbiose que caracteriza a aliança com nossa mãe. É fato indiscutível que, ao menos durante a vida intra-uterina, ela é tudo para nós. Nascemos e passamos a conhecê-la pelo lado de fora. Muito rapidamente voltamos a reconhecê-la como nossa principal fonte de segurança e proteção. Ela nos amamenta, limpa, dá de beber, embala na hora de dormir, nos acompanha no empenho que fazemos para a superação de todas as dores iniciais da vida para as quais estávamos totalmente despreparados.

Nossa mãe, ainda pelo lado de fora, volta a ser tudo para nós — ou quase tudo. Na verdade, por um bom tempo nem mesmo conseguimos nos ver desgrudados dela. **Ao longo do primeiro ano de vida, nós e ela continuamos a ser sentidos — por nós, é claro — como um único sujeito. Talvez seja por isso que a lentidão com que, por vezes, somos atendidos em nossas reivindicações, e que tentamos expressar pelo choro, nos provoque o desamparo, o desespero e a raiva; é que a outra "metade"**

de nós não está a postos para atender a nossos pedidos. Nossa mãe e nós somos uma coisa só. **Ela, segundo nosso desejo, existe apenas para cuidar de nós e nos acariciar.** Ela nos é exclusiva, remédio para nossos males e fonte de todo tipo de prazer físico e emocional.

Esse modo de sentir nossa relação com a mãe só começa a se modificar a partir do segundo ano de vida, quando passamos a descobrir nossos limites e fronteiras como indivíduos. **O processo de reconhecimento do eu como unidade se dá em franca associação com as primeiras manifestações da sexualidade — auto-erotismo relacionado com o toque de determinadas partes do corpo. Do ponto de vista da criança, compõe-se talvez o primeiro e fundamental antagonismo: prazeres eróticos associados ao convívio consigo mesma *versus* prazeres ligados à atenuação da dolorosa sensação de desamparo associados à proximidade com a mãe. Se durante o primeiro ano tudo que a criança quer é ficar no colo da mãe, a partir do segundo esse desejo, que é persistente, ainda que de modo mais sutil e camuflado, ao longo de toda a vida, se alterna com o de ficar consigo mesma. Inicialmente, ficar consigo mesma significa sentir prazer na manipulação das zonas erógenas, mas muito rapidamente esse prazer se estende para todo tipo de atividade relacionada com a descoberta do mundo que a cerca e com os mecanismos que determinam o funcionamento das coisas. São os prazeres intelectuais, que só crescem com o passar dos anos.**

Ao longo de nossa existência, dois tipos de prazer disputam nossa preferência: aqueles relacionados com a sensação de aconchego e que dependem da presença de outras pessoas perto de nós e os associados a nossa existência individual. **Os prazeres individuais também são de dois tipos fundamentais, perceptíveis desde os primeiros anos de vida: os que dizem respeito aos estímulos eróticos e os que se referem ao uso de nossa razão. Adoramos aprender!** Inicialmente, queremos compreender como operam e para que servem todos os objetos que nos cercam; depois, procuramos entender tudo que for possível a respeito do universo, além de aprendermos a desenvolver pensamentos abstratos e a tirar prazer deles. Tais prazeres, relacionados com o conhecimento, aparecem como pouco atraentes e acabam se atrofiando em muitas pessoas. Não é o caso de discutirmos aqui essa grave perda; contudo, trata-se de um dano irreparável, uma vez que nossos prazeres genuínos não são tantos que possamos abrir mão de um assim relevante.

Os prazeres relacionados com o aconchego têm, como regra, relação com uma sensação anterior de desamparo e desproteção. Sentimo-nos ameaçados e mais inseguros quando estamos sós e ainda não estamos treinados para tal. A presença das pessoas que nos são relevantes atenua essa dor e provoca o enorme prazer, que relacionamos com o fenômeno amoroso. Nossa mãe é nosso primeiro objeto de amor. Com o passar dos anos, ela deixa de ser o único, de modo que outras possibilidades de aconchego se adicionam a nosso arsenal de proteção. Sentimo-nos aconchegados com nosso pai, com nosso avô ou avó com quem tenhamos mais afinidade, com outros parentes, com alguns colegas de escola e suas famílias, e assim por diante. **Na vida adulta, surge uma forte tendência para que novamente concentremos boa parte do nosso anseio de aconchego em uma única pessoa: são nossos amores adultos, com os quais repetimos muitos dos sentimentos e procedimentos que vivenciamos com nossa mãe. Essas figuras substitutas da mãe rapidamente passam a ser sentidas como indispensáveis, como "tudo para nós". É evidente que isso não é verdade, pois a dependência que tivemos de nossa mãe era absoluta e a dependência amorosa adulta é puramente emocional. No sentido simbólico, vive-se uma repetição. Na prática, as coisas são totalmente diferentes.**

Se pensarmos em um bebê de, digamos, 10 meses brincando no chão perto de sua mãe, podemos compreender que a presença dela determina grande serenidade até para que ele arrisque os primeiros movimentos na direção dos prazeres pessoais. **A presença da mãe provoca nele o aconchego e lhe dá toda a segurança de que precisa. Não é difícil imaginar a complicação que deverá se criar na mente do bebê se, de repente, alguém colocar outro no colo de sua mãe, que é parte dele, lhe pertence no sentido literal. O bebê recém-chegado, seja um estranho, seja um irmão, será sentido como um usurpador, como alguém que se apropria do que é dele. Essa sensação de posse deriva mesmo da simbiose original, da dificuldade que o bebê tem de se entender**

como independente da mãe e de reconhecer nela qualquer tipo de autonomia. Reafirmo que, do ponto de vista da criança, ela e a mãe são uma coisa só. Depois, com o desgarramento que os fatos vão mostrando como inevitável, a mãe não é mais um ser independente: passa a ser da criança. Estabelece-se, assim, um desejo de apropriação de uma parte que um dia foi dela. A apropriação de alguém que tem vida própria se faz por meio de todo tipo de ação dominadora possível e imaginável; todos os recursos intelectuais disponíveis em cada época da vida serão usados com esse propósito.

Às ações de dominação podemos chamar de "possessividade", termo que subentende algum tipo de direito do que tenta dominar sobre aquele que está sendo submetido. Afinal de contas, estou lutando por direitos de atenção especial ou de exclusividade dos carinhos de "minha" mãe, de alguém com quem já estive fundido. Em outras palavras, reconhecemo-nos desgrudados de nossa mãe, mas não aceitamos esse fato por completo. Sobra em nós algum tipo de direito a um apego especial, algum tipo de posse sobre ela. E ai daquele que tentar se interpor entre nossa mãe e nós! Dele teremos raiva, a raiva que sentimos de quem nos rouba algo que nos pertence.

Não é difícil compreender que o protótipo do sentimento de ciúme relacionado com esse tipo de possessividade corresponde ao que uma criança sente quando do nascimento do irmão. Esse usurpador ocupou um útero que antes foi dela, suga do seio que foi seu, recebe atenções que ela já recebeu. **O irmão é, da ótica do**

sentimento de posse que temos diante de alguém que sentimos como nosso, o maior inimigo, o rival definitivo. Por certo, outros sentimentos podem se associar ao ciúme entre irmãos, de modo que nem sempre o relacionamento entre eles é só de competição e de rivalidade. Muitos são os casos, especialmente com o correr dos anos e com a diminuição da dependência da mãe, em que irmãos se tornam bons amigos. Esse, sim, corresponde a um fato surpreendente que diz muito a respeito de nossas propriedades subjetivas mais sofisticadas, que nos permitem ter sentimentos amorosos mesmo por pessoas que inicialmente não poderíamos deixar de hostilizar.

De todo modo, o sentimento de posse que sobra depois que nos sentimos desgrudados de nossa mãe volta a se manifestar quando nos sentimos acoplados sentimentalmente às figuras amorosas adultas, que sempre são, de certa forma, substitutas da mãe. Portanto, mesmo que mal tenhamos conhecido a pessoa que se transformará em nosso objeto de amor, passamos imediatamente a nos sentir com direitos de propriedade sobre ela assim que estabelecemos o compromisso de namoro. O compromisso não determina o sentimento possessivo, mas apenas o direito ao exercício da posse que talvez já quisesse se exercer antes. O sentimento de posse nos autoriza a tentar afastar da pessoa amada todas as criaturas percebidas como rivais, que poderão roubar uma parte da atenção que consideramos propriedade nossa.

Podemos entender a possessividade como uma espécie de incorporação de criaturas ou mesmo objetos que nos são externos; é como se passassem a fazer parte de nós. O caminho é o inverso daquele que um dia seguimos: éramos unidos a nossa mãe e dela nos desgarramos. Agora, por meio de um processo imaginário, queremos reincorporá-la a nós. Desejamos fazer isso com tudo e todos os que se tornam sentimentalmente importantes para nossa vida íntima, ou seja, aqueles que atenuam, de alguma forma, nossa dolorosa sensação de desamparo e nos provocam o prazer do aconchego. Queremos incorporar, para que façam parte de nós ou de nosso território, nossos principais objetivos de amor: filhos, pais e outros parentes significativos, assim como os amigos que nos são verdadeiramente relevantes. Incorporamos a nós o cão de estimação e alguns objetos nos quais colocamos importante carga afetiva: o carro, a própria cama, determinadas roupas e adornos etc.

Sentimos ciúme, agora entendido como uma sensação de raiva, daquele que quer se aproximar e se apropriar de atenções que achamos que nos pertencem. Sempre ficamos enciumados quando alguma de "nossas" pessoas especiais dá muita atenção e se dedica a quem quer que seja. Sentimos particular ciúme quando sua atenção está voltada para alguém que sabemos ser relevante sentimentalmente para ela. Por exemplo, o homem pode sentir muito ciúme de sua mulher pelo fato de ela estar intensamente dedicada ao filho que ainda é pequeno. Ao mesmo tempo que louva a dedicação da esposa, pois também é ligado ao filho, sente um desconforto enorme e uma sensação de rejeição e de abandono ao perceber que a criança está subtraindo parte do carinho que ele gostaria de receber.

O ciúme relacionado com a possessividade derivada do fenômeno amoroso não se dirige, pois, apenas contra eventuais rivais, contra pessoas que estariam disputando o mesmo papel na vida daquele que é o objeto do amor. **O homem não sente o ciúme que estou descrevendo de quem olha com cobiça para sua mulher, mas sim de seus filhos, de sua sogra — se sua esposa for apegada à mãe —, assim como de todas as outras pessoas que forem verdadeiramente importantes na constelação amorosa dela.** O ciúme que estou descrevendo não está, portanto, diretamente relacionado com o medo de perder a pessoa amada para um rival. Trata-se de um desconforto, de uma irritação derivada de ter de dividir alguém que é querido por inteiro. É um fenômeno totalmente diverso daquele que existe quando se está diante de um risco efetivo de perda da pessoa que é sentida como essencial.

Em relação à pessoa amada, podemos sentir mais de um tipo de ciúme. Um homem que está casado com uma mulher muito atraente pode, por exemplo, sentir ciúme de natureza sexual quando sair com ela e notar que muitas pessoas a estão admirando. Poderá se sentir muito irritado e enciumado quando ela se dedicar a sua mãe e a seus filhos, condição na qual estão excluídos todos os elementos de natureza sexual e os riscos

de perda. Todavia, isso não impede que esse homem sinta-se particularmente ameaçado por determinado amigo ou conhecido, caso perceba que sua mulher tem por ele especial simpatia. Nesse caso, estão em jogo o ciúme sexual e o de natureza sentimental, uma vez que um eventual envolvimento entre ela e o tal sujeito poderá levá-la para longe dele. Surge, então, o terceiro ingrediente relacionado com o ciúme: o real risco e o medo de perda da pessoa amada.

Este livro tem pretensões mais teóricas, de modo que não é o caso de me ater ao que acontece quando, de fato, o cônjuge se envolve sentimental e sexualmente com outro parceiro. Pode-se deduzir com facilidade a dramaticidade dos sentimentos envolvidos, a intensidade das emoções mobilizadas e a imprevisibilidade das reações que poderão ser desencadeadas. Condições como essa não são interessantes para o estudo analítico dos componentes do ciúme, pois todos se entrelaçam, atuam simultaneamente e de forma intensa. O grau de sofrimento próprio dessas situações é tal que justifica perfeitamente nosso medo de um dia termos de passar por isso.

O processo de análise nos leva à tentativa de dissecção e isolamento de cada um dos ingredientes constituintes de dado sentimento. Não é prudente deixar de cogitar, nem por um instante, que estamos nos referindo a situações esquemáticas e radicais. Na prática da vida, quase sempre os processos se entrelaçam de modo a formar um todo mais complexo. Por exemplo, não é difícil pensarmos em situações nas quais a vaidade seja um elemento importante, mesmo naquelas em que o ciúme é de natureza fundamentalmente sentimental. **O filho mais velho pode sentir-se desprestigiado pelo fato de seu pai estar dando mais atenção a sua irmã. Não pensa em perdê-lo para ela, mas pode achar que ele gosta mais dela do que dele; ficará triste e se sentirá humilhado, o que poderá gerar revolta e raiva contra ambos, fazendo que esses sentimentos desencadeiem todo tipo de reação negativa.** É evidente que, em muitos casos de ciúme relacionado com a dinâmica da vida familiar, pouco ou nada se pode fazer. Trata-se de sentimentos hostis e negativos entre criaturas ligadas por elos afetivos muito importantes.

É difícil vislumbrarmos qualquer solução para esse tipo de ciúme durante a infância. Sua presença em todas as fases da vida adulta decorre do fato de que nossa individuação se faz de forma incompleta. A sociedade não nos incentiva a nos constituirmos como indivíduos inteiros, dotados de limites nítidos e de contornos definidos e definitivos. **Tendemos a reagir de maneira muito infantil quando nos encantamos sentimentalmente por alguém.** Mais do que depressa passamos a interagir com ele de modo muito semelhante ao que era próprio dos relacionamentos que tivemos na infância. **Nossos "amores adultos" repetem todas as peculiaridades daquilo que vivemos e sentimos nos braços de nossa mãe.** Quando formos capazes de lidar de forma verdadeiramente adulta com o fenômeno amoroso e deixarmos de ver o outro como o remédio para todas as nossas dores, como aquele que tem de nos salvar das garras da solidão apavorante, provavelmente poderemos iniciar um combate sistemático a esse fenômeno possessivo por meio do qual desejamos nos apropriar de outros seres humanos em nome do amor que sentimos por eles.

Se formos capazes de estabelecer relações adultas menos parecidas com as infantis, estaremos finalmente caminhando para resolver um de nossos maiores problemas: o da relativa incompatibilidade entre o amor e a reprodução. Sim, porque enquanto pai e mãe forem ligados por laços de dependência que envolvem possessividade igual à que estabeleceram um dia com sua mãe, é claro que seus filhos serão seus rivais. Procriar significa, como regra, gerar um oponente, alguém com quem rivalizaremos pelo amor do cônjuge. A história da psicologia moderna, construída com base na psicanálise de Freud, está fundada nessa questão, que foi colocada como fundamental e básica para os conflitos íntimos de todos nós. Ainda que houvesse algum exagero, além dos equívocos derivados da não-separação entre o sexo e o amor, o fato é que as tensas relações entre pai e filho, assim como entre mãe e filha, estão fortemente relacionadas com o ciúme que sentem um do outro, e, como o amor adulto não é diferente do infantil, o pai sente o mesmo que o filho. Compõe-se o cenário para mais uma repetição da tragédia familiar, uma vez que esse filho, quando pai, também rivalizará com seu filho.

O CIÚME RELACIONADO COM O MEDO DE PERDA DO AMADO

Vamos para a terceira etapa de nosso trajeto, na qual farei algumas considerações úteis a respeito do enorme medo que temos de perder as pessoas que fazem parte de nossa constelação afetiva. Tememos perdê-las em razão de sua morte. Talvez parte do temor que sentimos de morrer também esteja relacionada com a dor que, supomos, nos acompanhará pelo fato de nos afastarmos das pessoas que nos são caras. Entretanto, é preciso registrar que nosso maior medo é mesmo o de perder as pessoas amadas por elas terem se desinteressado de nós e, ainda pior, passarem a se interessar por outra pessoa, que nos substituirá no papel que representávamos em sua vida.

Por termos algumas dúvidas acerca de nosso efetivo valor como seres humanos, sempre podemos nos sentir ameaçados pelo risco de perda das pessoas que amamos. Tememos que elas encontrem, a qualquer momento, outro parceiro mais interessante e gratificante do que nós. Nossos sentimentos de inferioridade, que são universais, geram em nós uma sensação permanente de insegurança quanto ao juízo que o outro pode estar fazendo ou vir a fazer de nós. Como o interesse sentimental depende da persistência de uma boa avaliação, estamos sempre nos sentindo na berlinda — e com razão.

O amor depende da admiração, de modo que uma queda na nota que recebemos provocará uma alteração negativa no sentimento do amado. Ou seja, a situação amorosa é vivida com uma instabilidade absoluta; os sentimentos poderão se alterar de uma hora para a

outra. Essa é a razão pela qual aqueles que se amam gostam de ouvir várias vezes por dia a expressão "eu te amo". O "eu te amo" de ontem não vale para hoje. É tudo muito instável; tudo está por um fio. Não é necessário que a pessoa seja portadora de algum tipo especial de problema emocional para que se sinta insegura nas coisas do amor. Trata-se de empreitada de grande risco para todos. A insegurança é própria da condição e não fruto das dificuldades específicas de cada um de nós.

Diante de uma situação de enorme importância e valor emocional e na qual as dores, em caso de fracasso, são brutais, qual a tendência da grande maioria das pessoas? Tentam usar todos os recursos possíveis para controlar o corpo e a mente do amado. Procuram mapear todos os seus passos, assim como seus pensamentos, e controlá-lo durante as 24 horas do dia para diminuir a chance de ter de passar pela dolorosa e dramática condição da perda amorosa. Muitos são os que perdem até os limites éticos que lhes são próprios, de modo que passam a lançar mão de recursos que desprezam, tais como colocar aparelhos de escuta telefônica, pagar alguém para seguir os passos do amado etc. Outros perdem a compostura em atos diretos, por meio dos quais tendem a depreciar a pessoa amada com o intuito de minar sua auto-estima. A intenção é enfraquecê-la; uma vez acovardada, ela não ousará se afastar deles.

A grande maioria das pessoas acaba buscando amparo para seus argumentos para a restrição da plena liberdade do amado em outros aspectos da questão do ciúme. É evidente que agir de modo repressivo em virtude do caráter possessivo característico dos envolvimentos amorosos parece algo mais digno do que sabotar a auto-estima do amado para que ele não tenha forças para nos abandonar. Temer o descontrole sexual do amado diante das inúmeras oportunidades da vida moderna parece mais legítimo do que restringir seus passos por causa do brutal temor de sermos trocados por alguém mais virtuoso e mais digno de sua admiração. Argumentos à parte, o fato é que muitos são os que perdem toda a compostura diante do sentimento do ciúme, tornando-se às vezes extremamente agressivos; é comum a violência física gerada pelo descontrole nas situações que envolvem o ciúme.

A inveja e o temor das ofensas à vaidade presentes no ciúme sexual somam-se ao caráter possessivo típico dos envolvimentos amorosos para determinar uma importante tendência restritiva à liberdade do amado. Agora, o que leva mesmo as pessoas a tratar de controlar e ficar atentas até mesmo aos pequenos gestos do outro é o medo da perda, de serem trocadas. Nessa condição estão envolvidos os maiores sofrimentos a que podemos estar sujeitos, uma vez que a rejeição amorosa nos faz humilhados e ainda por cima desamparados — tudo ao mesmo tempo, em um só golpe. É evidente que o medo de que isso aconteça é enorme e que nossa insegurança, que é geral, seja particularmente ativada por esse perigo intrínseco e próprio do amor.

O que fazer? Muitos são os que acabam se indispondo contra o sentimento amoroso, achando que o preço a ser pago, no que se refere a restrições aos direitos individuais, é muito alto ou então que os riscos envolvidos são muito grandes e não são compensados pelo que se pode extrair de bom dos relacionamentos. É um ponto de vista respeitável, que merece uma séria reflexão. Outros aceitam pagar o preço repressivo do amor, até porque são tão ou mais ciumentos do que seu parceiro. Consideram que a limitação imposta à liberdade individual não é tão grave, uma vez que não sentem grande interesse por atividades que não sejam praticadas em conjunto com o amado. **Em muitos casos, as pessoas até gostam de se sentir assim fiscalizadas; muitas mulheres ficam assustadas com suas fantasias sexuais, já que o marido repressor lhes presta bom serviço.**

Muitas pessoas consideram o ciúme um indicativo da presença de forte sentimento amoroso. Gostam de reconhecer, quando não de provocar, o ciúme no parceiro, pois assim se certificam de que estão sendo amadas. Ainda que isso seja verdadeiro em muitos casos, nunca é demais afirmar que as pessoas mais egoístas e que não amam são também muito ciumentas. Elas têm medo de perder os privilégios associados ao parceiro. Temem perdê-lo até porque se sabem más companhias, sempre dispostas a levar vantagem e quase nunca disponíveis para agradar a ele. De todo modo, convém lembrar que não é bom estabelecermos uma correlação direta entre a intensidade do ciúme e a do amor. É possível que se ame pouco intensamente e se sinta muito ciúme e vice-versa. Tudo depende da maneira como cada pessoa lida com suas inseguranças.

Cabem algumas considerações a respeito da insegurança que sentimos pelo fato de que tudo que nos é importante não é passível de controle. Podemos dizer que uma de nossas peculiaridades como seres humanos consiste em termos de conviver com a permanente condição de incerteza. Não sabemos de onde viemos, para onde vamos, por quanto tempo ainda ficaremos aqui, o que de bom ou mau está por vir. Enfim, não sabemos nada do que vai nos acontecer. Temos de viver esse estado de incerteza, que nos é próprio e que talvez seja o principal gerador da sensação de insegurança e de medo que nos acompanha quase o tempo todo. Não se trata de fraqueza pessoal. A incerteza é um fato universal, próprio de nossa condição. A insegurança e o medo que sentimos são um subproduto inevitável disso. Fraqueza é envergonhar-se de sentir medo, é tentar esconder essas verdades e fingir que se sente seguro e forte. **O forte não tem medo de mostrar suas fraquezas, enquanto o fraco as esconde.**

O ciúme se manifesta em algumas das muitas condições cotidianas nas quais deparamos com a incerteza de nossa condição. É um assunto relevante, pois a dor de amor é uma das maiores que podemos ter de suportar; a mais forte é aquela que sentimos quando somos abandonados. Sofremos muito ao pensarmos que nossa saúde está sempre por um fio, ao percebermos que a morte nos ronda o tempo todo — por exemplo, no momento em que um avião decola — e que podemos perder tudo aquilo que construímos. Insisto no fato de que a dor de amor é de magnitude idêntica a estas últimas, de modo que é preciso muita serenidade, disciplina pessoal e grande compreensão da condição humana para não tentarmos interferir no modo de ser e de viver do amado com o objetivo de diminuir o risco de abandono. São necessárias grande convicção e firmeza moral para agir de modo respeitoso. É por isso que tenho reafirmado a importância de um posicionamento da coletividade que seja claro e definido contra qualquer tipo de expressão do ciúme: não faltam bons motivos para que ele se manifeste de forma exuberante; portanto, precisamos nos empenhar com todas as nossas forças se quisermos domá-lo.

Assim, boa parte da questão do ciúme fica transferida para a da incerteza. As pessoas que forem capazes de lidar bem com a incerteza tenderão a tolerar melhor o fato de que, também no amor, não existem garantias quanto ao futuro. Aquelas que não suportam bem as frustrações e dores da vida lidarão mal com a incerteza de nossa condição, uma vez que, independentemente de suas limitações pessoais, são obrigadas a se reconhecer totalmente vulneráveis e dependentes de variáveis que não controlam para saber a cota de sofrimento que terão de vivenciar. É firme minha convicção de que as pessoas mais amadurecidas e preparadas para viver bem são as que melhor aceitam e toleram as dores que têm de suportar ao longo do caminho. Elas são mais dóceis em relação a essa peculiaridade, inquestionável, de que o futuro é incerto. Não se revoltam contra o fato de que eventos negativos poderão acertá-las e derrubá-las em qualquer momento de sua existência. Aceitam isso não porque seja sua vontade, mas por perceberem que essa é a primeira regra do jogo da vida.

Pessoas menos amadurecidas e intolerantes às dores vivem pior e são mais infelizes justamente porque se revoltam contra fatos. Gritam e esperneiam diante de fatalidades sobre as quais não têm controle. Confundem aceitação do que é inexorável com conformismo e escondem sua fraqueza rebelando-se contra essa postura; tentam, só para camuflar sua incompetência no trato com os sofrimentos, associar conformismo a covardia. **Quando não há nada a fazer para impedir que aconteça algo, melhor mesmo é nos conformarmos o mais rapidamente possível. É preciso saber quando é hora de lutar e quando é oportuna a dócil aceitação; nisso reside o bom senso — coisa rara.**

Aqueles que toleram mal a incerteza tentam fazer de tudo para diminuir a possibilidade de acontecimentos imprevisíveis, o que não deixa de ser um tanto ridículo. Empenham grande parte de sua inteligência e energia para encontrar modos de controlar o maior número possível de variáveis para que a certeza cresça. No caso do ciúme, são controladores e não têm o menor escrúpulo em fazer qualquer coisa para minimizar seus riscos. Não se dão conta de que, ao agirem de modo extraordinariamente repressivo e dominador, estão criando todas as condições para que aconteça exatamente o que mais temem. Sim, porque quem se sentir exageradamente encurralado pelo comportamento escravizante do parceiro tenderá a ter menos admiração e amor por ele. Não é à toa que as pessoas que lidam mal com a incerteza costumam se tornar pessimistas. Isso acontece em parte porque já estão tentando se preparar para o pior e em parte porque, ao interferirem sobre os fatos que deveriam andar por si, introduzem ingredientes que costumam, no médio prazo, conduzir mesmo a resultados negativos. **Os que mais temem o fracasso são exatamente aqueles que acabarão experimentando-o mais vezes.**

Pessoas que lidam melhor com a incerteza tratam de se empenhar na direção contrária, ou seja, fazem o maior esforço possível para conter a tendência que surge em todos nós: controlar os passos do amado. **Posicionam-se intimamente contra o ciúme que sentem, uma vez que temem as dores da vida, mas sabem que podem suportá-las. Arriscam mais, porque conhecem a intensidade das dores e se vêem mais fortes do que elas. São mais ousadas e otimistas, porque sabem que a incerteza pode nos trazer coisas ruins, mas que desse ponto de interrogação, que é o futuro, podem vir coisas boas.** Compreenderam que nossa condição de incerteza tem aspectos muito interessantes, pois nos faz permanentemente excitados, como se estivéssemos em um grande cassino onde podemos ganhar ou perder. **Na verdade, a incerteza é responsável por grande parte da graça da**

vida, que seria muito tediosa se já soubéssemos tudo que nos acontecerá.

No caso particular do amor, essas pessoas sabem que, quanto melhor tratarem o parceiro, maior será a chance de o relacionamento evoluir. Conseguem fazer aquilo que verdadeiramente pode ser eficaz para aumentar as probabilidades de sucesso na empreitada afetiva, ou seja, respeitar o direito do outro de existir livremente. **Essas criaturas menos ciumentas, e por vezes menos autoritárias, não são, em hipótese alguma, as que amam com menos intensidade. São as que têm melhor domínio sobre si mesmas e mais controle sobre suas emoções, o que sempre tem de ser tratado como importante indicador de maturidade emocional, como coisa louvável que deve ser incentivada.**

O CIÚME E O AUMENTO DO DESEJO SEXUAL

Não poderia encerrar este breve e incompleto ensaio acerca de um assunto tão palpitante e fundamental para nosso cotidiano sem fazer algumas considerações sobre dois aspectos que ainda domino pouco. Minha tendência tem sido esperar que certos assuntos amadureçam e se tornem claros para depois tratar deles. No entanto, alguns me parecem tão complexos que acredito que a melhor política seja ir registrando o pouco que tenho conseguido avançar. E o avanço inicial é sempre de natureza mais descritiva, ou seja, envolve apenas a possibilidade de uma análise mais detalhada do processo. As desejadas explicações e correlações nem sempre nos chegam com a mesma velocidade. Em primeiro lugar, vou escrever algumas linhas acerca do ciúme que ultrapassa de longe os limites da realidade e se aproxima do delírio. O segundo tema será o das relações entre o ciúme e o desejo sexual.

Quando duas pessoas iniciam um relacionamento de forma intensa, quando surge a forte tendência para a fusão romântica — e naqueles casos em que o casal resiste pouco a isso —, muito rapidamente despontam uma sensação de compromisso e um desejo de passarem todos os instantes juntas. O caráter possessivo de tal aliança já foi descrito, de modo que o ciúme que aí predomina é derivado essencialmente desse ingrediente. Não existe ciúme sexual, uma vez que a confiança que se estabelece é muito firme e forte. Não há incertezas no que concerne ao futuro, a não ser aquelas vinculadas ao medo da perda da admiração, única condição sentida como ameaçadora ao amor. **Quanto ao aspecto possessivo, o ciúme tende a ser máximo. Assim, o casal apaixonado costuma se afastar de todos os amigos e da maior parte dos parentes. Isso se dá porque se sentem inteiros em virtude da fusão amorosa e também incomodados com a presença de qualquer criatura que tenha significação afetiva para o outro e vice-versa.** Até aí, nada de especial, embora esteja composta uma condição ideal para que possamos refletir mais profundamente sobre a presença de um componente "egoísta", ainda que exercido a dois, no seio da fusão romântica. Eles começam a se incomodar profundamente com as pessoas que, no passado, tiveram algum tipo de importância afetiva para o parceiro.

Então, a situação se torna mais complicada, pois o ciúme nasce no meio de uma conversa ingênua, na qual um dos dois está narrando algum detalhe de sua história, contando de seus antigos amigos e namorados. De repente, o clima agradável de intimidade se interrompe, porque aquele que ouviu as confidências se cala e dá sinais claros de desagrado. **Sentiu ciúme retroativo! Incomodou-se com algo que já passou, que não o ameaça em nada, e com o fato de o amado ter tido uma história que o antecedeu, de não ter saído do útero de sua mãe diretamente para seus braços. Ainda que fosse verdade, é possível que sentisse ciúme da mãe e do útero dela.** O amado se irrita e se entristece ao saber que o parceiro viveu momentos de forte emoção antes dele, tanto os de alegria como os de tristeza, mas principalmente os primeiros. Fica irado ao descobrir que o parceiro já amou intensamente outra pessoa, que teve fortes sensações eróticas como parte de suas vivências anteriores, que atingiu certas posições sociais, que viveu em determinados locais etc. Seguramente, gostaria que todos os momentos importantes de sua vida tivessem sido com ele compartilhados.

É evidente que esse tipo de manifestação do ciúme, extremamente comum quando se estabelecem relacionamentos intensos, que costumam ser os de maior afinidade, não tem relação com os fatos atuais, de modo que o sentimento deriva de nossa capacidade de imaginar. Só não é oportuno pensarmos em delírio, porque o imaginário se baseia em fatos vividos. **É difícil explicar exatamente o porquê disso. Penso que essa situação extrema nos ajuda a entender um pouco do que acontece em todos os casos, ou seja, confirma a hipótese que venho defendendo de que todo amor adulto deriva e reproduz, de modo pouco original, as peculiaridades de nosso relacionamento inicial. Acredito que corresponda, em grau extremo, ao mesmo mecanismo possessivo presente em todos nós, em que o desejo é o de que o outro não exista a não ser como parte de nós. Todos os indícios de que o outro tem vida própria e é mais do que nossa metade determinam a revolta e a irritação próprias do ciúme.** Esse componente do ciúme, existente nos melhores relacionamentos e entre pessoas essencialmente mais maduras, é o início de uma fértil caminhada para compreendermos o caráter regressivo do amor.

O ciúme retroativo não nos é de todo estranho. O mesmo ocorre com as manifestações ciumentas que chegam às portas do efetivo delírio, em que se tomam como verdade hipóteses que foram construídas sem o necessário fundamento lógico. O delírio de ciúme propriamente dito é usual nos casos de intoxicação crônica pelo álcool e em muitos dos quadros de depressão severa. Comumente, quem delira é um senhor que, em virtude de seu estado psíquico, se torna incapaz para o ato sexual. Passa a ter certeza de que sua esposa — não raramente uma senhora de idade avançada e, portanto, não propensa a esse tipo de comportamento — tem um amante. Prepara-se para a revanche, de modo que afirma que matará o rival ou a mulher infiel. A improbabilidade de que tudo isso possa estar acontecendo salta aos olhos mesmo daqueles que não tenham qualquer experiência clínica.

Muitos são os casos, porém, em que o risco de infidelidade pode existir, mas fica evidente que as pessoas vivem as situações de forma exagerada, beirando o delírio descrito. Não resta a menor dúvida de que será sempre difícil separarmos o joio do trigo, uma vez que, mormente do ponto de vista sexual, tudo pode acontecer. **Não é raro que pessoas que vivem o ciúme de modo muito intenso relacionem esse sentimento basicamente com situações eróticas. Detestam perceber que seu parceiro desperta o interesse sexual de outras pessoas. Revoltam-se contra a falta de exclusividade e de discriminação do desejo sexual. No caso das mulheres, podem fazer escândalos porque acham que "seu homem" está olhando para outra. No caso dos homens, podem perder a compostura porque acreditam que "sua mulher" esteja retribuindo os olhares a outro.**

Poderíamos supor que a principal causa para tais manifestações resida nos sentimentos de inferioridade sexual, maior em algumas pessoas. Podem até contar no processo, mas já conheci homens e mulheres portadores de dotes físicos acima da média que, ainda assim, eram exageradamente ciumentos. Não temos meios para encontrar uma explicação única e definitiva, porque é provável que sejam múltiplas as razões aí envolvidas. Por exemplo, **penso que um dos ingredientes do ciúme sexual resida exatamente no desejo de controlar os próprios impulsos por meio do controle dos supostos impulsos do parceiro. A mulher exuberante e muito ciumenta talvez seja aquela que, ao controlar o marido, esteja estabelecendo limites para si mesma.** É uma hipótese que se aplica menos aos homens, uma vez que ainda são muitos os que resolvem a contradição entre a presença de seus múltiplos desejos eróticos e o desejo de fidelidade de sua mulher por meio do estabelecimento de um duplo padrão moral: os homens podem e as mulheres não! **O que é fato, com ou sem as devidas explicações, é que indivíduos civilizados, educados e mesmo pouco autoritários podem se desequilibrar totalmente no que diz respeito ao ciúme sexual.** É curioso que muitos são os que toleram perfeitamente bem os fortes elos amorosos do amado com seus parentes e amigos — insuportáveis para outros — e não podem suportar que o parceiro assista com interesse a um programa erótico na televisão.

Não posso deixar de registrar que o ciúme pode sair da proporção razoável — e qual é essa proporção? — também com relação ao medo de que o parceiro esteja envolvido sentimentalmente com outra pessoa. Trata-se de uma condição muito mais rara de ser vista na prática clínica e no cotidiano, e não existem dados efetivos que a determinem. Parece-me que esse temor deveria ser mais freqüente, uma vez que o amor por outra pessoa seria uma ameaça mais grave à estabilidade do vínculo, além de determinar um agravamento da incerteza em relação ao futuro do relacionamento e da vida de cada um. No entanto, **quase sempre o ciúme que sai do razoável tem raízes sexuais. Talvez isso nos conduza, mais uma vez, para a questão da vaidade. Parece claro que tememos até mais a humilhação e a ofensa em nosso orgulho do que o abandono amoroso.** Mesmo o típico delírio de ciúme passa pelo tema do sexo muito mais do que do amor. **Podemos pensar que o ciúme ligado ao sexo é maior porque a infidelidade sexual é mais provável. No entanto, acho que a isso se agrega de forma muito definida e forte a questão de estarmos sendo trocados por alguém mais atraente ou mais competente sexualmente do que nós.** Detestamos tal tipo de comparação, assim como a idéia de podermos ser vistos como menos dotados nesse aspecto da vida íntima. Sempre me surpreende quanto esse instinto, simples e natural, pode ser importante em nossos devaneios e na constituição de nosso cotidiano.

E, por falar em sexo, o que devemos pensar com a constatação de que as pessoas que se percebem ameaçadas e corroídas pelo ciúme sentem um desejo sexual muito maior? Há exceções a essa regra, de modo que algumas delas tornam-se totalmente inibidas sexualmente ao saber que seus parceiros tiveram relacionamento sexual com alguém, associado ou não a envolvimento amoroso. Novamente estamos diante de um fato cuja interpretação é muito difícil. **Podemos atribuir o aumento**

do desejo sexual em situação de ciúme ao caráter competitivo, presente em medidas variadas em todos nós, de modo que a presença de um rival atiçaria nossa vontade de mostrar que somos melhores do que ele. Aqueles que antecipadamente se reconhecem como perdedores nesse tipo de competição se inibiriam totalmente diante da disputa. Essa hipótese relacionada com a competitividade não deve ser descartada e provavelmente é responsável por parte do que ocorre com muitas pessoas. Não esgota, porém, todas as possibilidades de explicação do complexo fenômeno que faz que o desejo sexual cresça justamente quando uma pessoa está se sentindo — ou sendo ameaçada de ser — traída.

É fato que, além de disputarmos com um eventual rival, **nos sentimos profundamente humilhados por estar diante desse tipo de situação, muito agredidos e brutalmente magoados por nosso parceiro. Talvez sintamos mais raiva dele, que nos devia lealdade, do que ânsia de sobrepujar nosso concorrente** dando demonstrações de extraordinário vigor e perícia sexual. **Se nossos sentimentos principais forem mesmo os de humilhação e de raiva de nosso parceiro, temos de dirigir nossa atenção para a hipótese de que é exatamente essa emoção – a raiva – que aumenta nosso desejo sexual!** Tal constatação fere tudo que aprendemos, pois sempre fomos induzidos a pensar no sexo como manifestação ligada ao fenômeno amoroso. Temos enorme dificuldade em mudar de ponto de vista em relação ao que acontece dentro de nós; a verdade é que o sexo e a agressividade não se estranham tanto quanto costumamos dizer, mas fazemos de conta que se trata de um aspecto menor da questão.

Sabemos perfeitamente que o sadomasoquismo corresponde à clara e inequívoca associação do sexo à violência e à humilhação e que as pessoas que gostam de práticas desse tipo não são diferentes de nós nos outros aspectos da personalidade. **Em todos nós existe algum prazer erótico que pode ser ativado por discretas manifestações sadomasoquistas: receber leves tapas, ouvir palavras de baixo calão e ofensas durante o ato sexual, gostar de se colocar em posição submissa em certos momentos do ato e submeter o parceiro em outros etc.** Os fenômenos dessa ordem fazem parte de nosso mundo interior, ainda que em dose menor do que a existente nos que praticam o sexo voltado exclusivamente para a dor, humilhação e violência. **Em situações nas quais o clima romântico e de ternura é muito intenso, não são raras as pessoas que perdem totalmente o entusiasmo sexual, coisa que não acontece em contextos violentos ou grosseiros. Ainda assim, insistimos em afirmar que o sexo combina com o amor e não tem nada que ver com a raiva e com a agressividade.**

Temos de ser mais rigorosos em nossas observações e nas conclusões que elas nos impõem. Não é impossível que uma boa explicação para o aumento do desejo sexual em que o ciúme esteja presente de forma muito intensa seja exatamente a enorme raiva que o sentir-se traído pode determinar em uma pessoa. A raiva maior traria consigo maior desejo sexual; se associarmos esse fenômeno à indiscutível tendência que temos para nos sentirmos mais ativos quando em disputa, é claro que o vigor sexual daquele que se sente enciumado será muito maior do que o desejo desse mesmo indivíduo em condições normais. É possível que muitas pessoas inventem contextos de ciúme até com a finalidade de estimular seu desejo sexual por meio da raiva que o suposto comportamento desleal do parceiro provoca. Para os casais aos quais isso acontece, o programa começa com uma violenta briga por razões de ciúme e continua como uma "noite erótica inesquecível". Isso quando as conversas sobre infidelidade não são o ingrediente principal do que se fala antes do ato sexual e durante ele.

Para aqueles que acreditam que uma vida sexual exuberante seja mesmo um privilégio, ainda mais em uma época como a atual, que louva a sensualidade como o maior de todos os prazeres, parece que o mais adequado seria recomendar-lhes parceiros pouco confiáveis! Aliás, nem é necessário sugerir isso, pois são muitos os homens que preferem as mulheres que irradiam uma sensualidade transbordante e que lhes escapam do controle, e não é menor o número de mulheres encantadas com os homens boêmios, sedutores, que vivem em estado permanente de conquista. São muitos os ingredientes que determinam a escolha dos parceiros; estou me referindo apenas a mais uma das variáveis, aquela ligada a essa peculiaridade de nossa sexualidade.

Os indivíduos que não se excitam — e, ao contrário, se inibem sexualmente — diante da infidelidade seriam

exatamente parte da minoria que não estabelece associação entre sexo e raiva. Essa associação, assim como qualquer outra, não é inata e definitiva. Tanto que existem pessoas que só têm interesse em práticas sexuais em contexto amoroso — ou, ao menos, em contexto neutro, livre de violência e agressividade. Grande parte delas, porém, foi induzida a estabelecer essa aliança entre sexo e violência, de modo que seu desejo cresce com sua raiva. Os homossexuais masculinos se dão muito melhor com as mulheres, pelas quais não sentem raiva nem desejo, e por isso relacionam-se de modo complicado com os homens, objeto de ambos os sentimentos. Os homens heterossexuais se relacionam melhor com os homens do que com as mulheres, as quais invejam, desprezam, depreciam e desejam. O mesmo vale para muitas mulheres; é claro para mim que o número de exceções entre elas é muito maior do que entre os homens, ou seja, muitas são as que, de fato, têm sua sexualidade e afetividade sintonizadas. É evidente que não são as que usam todo o poder sensual para humilhar e diminuir os homens as que passam a maior parte do tempo preparando-se para aparecer como irresistíveis diante dos olhos masculinos.

Como entender nossa sociedade tão orgulhosa de seus feitos técnicos e tão pouco atenta aos aspectos relativos à qualidade de vida e à felicidade de seus membros? Será que as pessoas não percebem que as relações entre elas só estão piorando? Teremos mesmo de continuar a viver sob o reinado da inveja, da raiva, do ressentimento e da deslealdade enquanto usa-

mos palavras como "solidariedade", "companheirismo", "amizade" e "amor"? É oportuno tomarmos como um dos pontos de partida essa provável associação entre sexualidade e agressividade para ousarmos enfrentar o problema de nossa vida erótica. Não são conhecidos, ao menos de modo consistente e convincente, os caminhos que determinam essa terrível associação. Na verdade, tudo está por ser feito no que diz respeito a uma reflexão profunda e sincera acerca dos desdobramentos sociais, políticos e econômicos da sexualidade humana. Já progredimos muito no mais simples, isto é, na conquista de uma liberdade maior nas práticas sexuais entre as pessoas. Agora é hora de pensarmos muito mais agudamente sobre todos os detalhes desse que é nosso instinto mais complexo e influente. Vendo por esse prisma, podemos perceber como é longa a estrada que temos pela frente.

4 quatro

O AMOR É NOSSO MAIOR VÍCIO

UMA DEFINIÇÃO DE DEPENDÊNCIA PSICOLÓGICA E DE VÍCIO

Infelizmente não temos, na língua portuguesa, o termo apropriado para nos referir às dependências psicológicas intensas. Usamos a palavra "vício", que contém um pesado julgamento moral. Em inglês se utiliza *addiction*, que quer dizer forte apego e dependência de algo, o que não implica qualquer tipo de avaliação moral nem significa que a pessoa seja portadora de alguma deficiência ou desvio ético que a deprecie. Somos aparentemente mais severos quando usamos a palavra "vício" para as dependências em geral; na realidade, somos mais displicentes e colocamos em um mesmo saco as formas de apego um tanto inofensivas e as que envolvem transgressões mais graves. Tais generalizações beneficiam sempre aqueles que são mais displicentes moralmente, pois, ao tratarmos todos como igualmente "pecadores", na verdade estamos dando um tratamento bastante condescendente aos que deveriam ser tratados com mais rigor.

De qualquer forma, não vejo outro caminho senão continuar usando a palavra "vício" para descrever as dependências psicológicas relacionadas com o uso de cigarros de nicotina, com roer unhas, com tudo enfim que se transforma em uma compulsão incontrolável. Nesses casos o termo talvez não seja adequado, uma vez que também é usado para dependentes de álcool, heroína, morfina etc., embora existam diferenças importantes entre esses dois tipos de "vício". **Quero apenas ressaltar que uso a palavra sem qualquer intenção de julgar a ação das pessoas; estou apenas interessado em descrever essa importante tendência, presente em todos nós, de nos apegarmos de forma impressionante a determinadas substâncias, objetos, situações e mesmo pessoas. O que caracteriza o "vício", esteja relacionado com algo benigno ou com o uso de drogas pesadas, é exatamente o surgimento de uma sensação de dor intensa e difícil de ser controlada que sentimos quando o objeto da dependência nos falta.**

Os estudos iniciais a respeito dos vícios — uso agora a palavra sem aspas, mas elas estão subentendidas o tempo todo — foram feitos a propósito do uso de drogas, e creio que esse é um bom caminho para iniciarmos nossas reflexões. Não deixa de ser preocupante que pessoas que se iniciam no uso de bebidas alcoólicas se tornem tão dependentes delas a ponto de não serem capazes de fazer nada enquanto não ingerirem certa quantidade de bebida. O processo se estabelece aos poucos. Quase todos aprendem a ingerir bebida alcoólica — cujo gosto, no início, provoca repugnância — durante a mocidade. Sentem certa euforia e um pouco mais de coragem para abordar pessoas desconhecidas e conversar com elas. Muitas vezes, exageram na dose, o que determina uma aversão temporária em razão dos desagradáveis efeitos posteriores causados pela bebida. Muitos aprendem a lidar com o álcool, de modo que passam a usá-lo na dosagem certa e nas situações que lhes parecem adequadas e convenientes. Outros se desinteressam dele, porque não se sentem bem ou não acham que os efeitos lhes sejam particularmente favoráveis.

Um grupo menor de pessoas — cerca de 5 a 10% — gosta muito do efeito que a bebida alcoólica provoca e não sente efeitos desagradáveis de monta no dia seguinte à ingestão de grandes quantidades da droga. O que acontece? Tendem a usá-la cada vez mais freqüentemente e depois começam a sentir falta da bebida e a se ver incapazes de fazer qualquer coisa sem ela. Tornam-se dependentes dela para sair de casa, para falar com as pessoas. Não sabem mais existir sem usar o álcool como facilitador. A ausência da bebida alcoólica vai provocando uma crescente sensação de mal-estar, de forma que o desejo de ter acesso a um trago se torna cada vez mais urgente e imperioso. A pessoa que sente a falta de modo tão intenso já se viciou na droga, se tornou dependente dela. Isso significa que fará qualquer coisa para consegui-la o mais rápido possível, para se livrar do desejo lancinante, da "fissura" que sua falta determina. **O viciado fará qualquer coisa, até o que seu sentido moral condena. Assim, criaturas idôneas poderão mentir, roubar, trapacear, com o propósito de atingir seu objetivo imediato: o de ter acesso urgente ao álcool.**

O processo é idêntico com o uso de outras drogas, entre elas o cigarro de nicotina. Nesse caso, a dependência envolve um número muito maior de usuários do que o álcool — apenas 5 a 10% dos que fumam o fazem de forma esporádica e controlada, exatamente o contrário do que acontece com a bebida alcoólica. **Aos poucos deixamos de usar a palavra "hábito" para certos costumes freqüentes e repetitivos e a substituímos por vício justamente para definir o caráter compulsório e compulsivo que esses procedimentos acabam ganhando na subjetividade da pessoa. Poderíamos chamar de hábito o ato, não compulsivo, de fumar um charuto depois do jantar ou parar em um bar, no caminho para casa, para tomar um copo de cerveja com os amigos. Agora, acender um charuto atrás do outro ou não ser capaz de ir a uma reunião de negócios sem tomar um drinque deve ser encarado como algo mais intenso, como uma forte dependência, como um vício, como algo capaz de provocar grande sofrimento íntimo quando não realizado.**

Mais recentemente, os avanços no estudo dessa questão fundamental de nossa psicologia têm apontado para a existência de dois tipos de dependência: a de natureza química e a psicológica. A primeira faz parte, segundo o conhecimento de que dispomos, dos processos orgânicos envolvidos no uso de drogas, sobretudo daquelas que interferem em nosso sistema nervoso central. Implica uma série de acontecimentos de natureza química tais que tornam a droga ingerida necessária para nosso organismo. Sua ausência passa a ser sentida também desse ponto de vista, provocando sintomas físicos próprios da abstinência, variáveis conforme a droga que provocou a dependência. O organismo passa a "pedir" aquela substância, e isso muitas vezes é parte relevante do desejo lancinante que se sente na ausência da droga.

Não me sinto habilitado para discutir em profundidade todas as peculiaridades da dependência química. Gostaria apenas de ressaltar sua importância no caso do uso de drogas e de registrar que é forte minha convicção de que o maior problema, em grande parte dos vícios, não é esse. A dependência química da nicotina, por exemplo, se extingue em poucas semanas, ao passo que a "saudade" que o viciado em cigarros pode sentir dificilmente desaparecerá antes de vários meses — isso quando desaparece por completo, o que não acontece sempre. **Creio que, mesmo nos casos em que algum tipo de droga psicotrópica esteja envolvido, o aspecto que predomina na tendência para a repetição compulsória daquele ato específico é a profunda dependência psicológica que desenvolvemos em relação a ele.** No exemplo do cigarro, apegamo-nos àquele cilindro branco porque parece que sua presença nos determina maior sensação de segurança, de importância; sentimo-nos mais competentes para a sedução, mais autoconfiantes. Aliás, não deixa de ser impressionante que um objeto assim simples e banal tenha o dom de despertar em nós tantos sentimentos.

Estamos nos aproximando de nosso tema central: o da dependência psicológica que podemos estabelecer diante de tantas coisas ou pessoas. Meu objetivo é estudar um pouco melhor as correlações entre essa questão e o que acontece com o fenômeno amoroso. **Que**

certos comportamentos próprios da paixão se assemelham muito aos que encontramos em um drogado quando se vê privado de seu vício, já registrei em 1975. Acho que progredimos bastante na compreensão dos processos envolvidos em ambos os casos, de modo que é possível, tantos anos depois, avançar um pouco mais e ir além da simples demonstração das semelhanças entre o amor e os vícios.

O estudo das peculiaridades da dependência psicológica que podemos estabelecer com tantos objetos, situações e mesmo com as drogas pode nos ajudar a entender algumas das características do fenômeno amoroso e vice-versa. Os dois temas são palpitantes, uma vez que constituem fonte importantíssima de sofrimento para a grande maioria das pessoas. **É fundamental encontrarmos os caminhos para que menos pessoas sejam viciadas em drogas e em outras atividades nocivas, assim como é essencial que a dependência amorosa se atenue para que as pessoas possam exercer dignamente sua individualidade.**

Já registrei em um livro anterior a frase que ouvi de um amigo, ex-drogado, que é, para mim, a porta de entrada para o bom entendimento da questão que nos interessa. **Ele disse: "Estou convencido de que o primeiro vício de todos nós é a chupeta". E o que é a chupeta? Um objeto que colocamos na boca de uma criança, com meses de idade, a fim de apaziguá-la. Dada a semelhança desse objeto com o mamilo, é provável que a criança o receba com facilidade, uma vez que com**

ele poderá imitar o agradável procedimento de sucção. Sabemos que, para o bebê, estar no colo da mãe, especialmente nos minutos em que ele se alimenta do leite que escorre de seu seio, representa importante atenuador do doloroso sentimento de desamparo que todos sentem desde os primeiros instantes da vida extra-uterina. A sensação de desproteção e o desespero que deriva da total fragilidade e absoluta dependência da mãe se tornam mínimos durante a amamentação. Essa deve ter sido a razão pela qual se inventou a chupeta, um objeto destinado a funcionar como substituto do seio materno, como substituto da mãe.

Alguns autores que estudam a dependência psicológica costumam defini-la como o estabelecimento de uma ligação afetiva com um objeto ou com uma situação que antes era neutra. Não sei se o conceito se aplica a todas as formas e a todas as condições nas quais nos tornamos dependentes. No entanto, no caso da chupeta, acho que cabe como uma luva: a criança se apega a ela e estabelece um vínculo afetivo, reproduzindo a mesma dependência que sente em relação à mãe.

O que está subentendido nesse tipo de observação é que a relação da criança com a mãe corresponde a uma dependência psicológica natural, e sua relação com a chupeta, a uma dependência psicológica não natural, gerada artificialmente pela associação desse objeto à figura da mãe, a quem passa a substituir. **Transfere-se a dependência que a criança tem da mãe para a chupeta, objeto mais fácil de estar presente em todos os momentos;**

a ansiedade ligada ao desamparo pode agora ser atenuada com a presença de um simples objeto.

Depois da chupeta, outros objetos podem vir a fazer parte dessa corrente pela qual abrandamos nossos sentimentos dolorosos de desamparo por meio de algum tipo de recurso associado à boca. É curioso observarmos que mesmo certas partes do corpo da criança podem se prestar a essa função; basta que ela determine movimentos da boca de forma a entretê-la convenientemente. Assim, além da chupeta, podemos ficar dependentes de chupar o próprio polegar, roer unhas, mascar chiclete, chupar balas, fumar cigarros, comer chocolate etc. **A chegada de uma nova dependência — de um novo hábito ou vício, conforme a intensidade da "fissura" que a ausência determina — costuma desbancar a anterior. Portanto, "trocamos" a chupeta pelo polegar, este por roer as unhas, estas pelo chiclete, este pelo cigarro e, quando conseguimos nos livrar desse vício, tendemos a voltar para os chicletes, balas e outros tipos de doce.**

Não é fácil para uma criança abrir mão de seus vícios, nem mesmo da chupeta. Todas as renúncias terão de ser negociadas, trocadas por outros benefícios; ainda assim, determinarão algum tipo de crise de abstinência, de frustração de duração variada. Alguns desses vícios são de difícil resolução. É o caso, por exemplo, do roer as unhas das mãos e, por vezes, também dos pés. Só mesmo a hipótese de que a pessoa sente grande apaziguamento da dolorosa sensação de desamparo ao exercer essa atividade pode explicar sua dificuldade para abandonar um procedimento assim inconveniente e desagradável, mesmo quando está totalmente convencida de que esse é seu desejo. **Espero que já esteja bastante evidente, do que foi exposto até aqui, quanto a razão manda pouco nos assuntos que dizem respeito aos vícios.**

Não sei se esse é o único caminho capaz de nos ajudar a compreender todos os tipos de dependência psicológica e, portanto, de vícios. Fica difícil explicar a dependência que as pessoas sentem, por exemplo, em relação aos jogos de azar apenas por essa via, apesar de que certo apego e aconchego relacionado com o ambiente onde jogam podem desempenhar papel importante. Sim, porque costumamos nos ligar a locais em que nos sentimos menos desamparados, tais como nosso quarto, nossa cama, nosso travesseiro etc. Voltarei ao assunto ao tratar dos vícios relacionados com nossa vaidade. Ainda gostaria de continuar a refletir um pouco mais sobre as peculiaridades das dependências que se estabelecem em virtude da atenuação da sensação dolorosa do desamparo e de nos sentirmos abandonados.

AMOR IMPLICA DEPENDÊNCIA PSICOLÓGICA

Uma importante peculiaridade das dependências psicológicas — até em relação a drogas das quais também podemos ter dependência química — que desenvolvemos ao longo da vida, mesmo na fase adulta, consiste no fato de que elas quase sempre determinam algum tipo de vínculo afetivo. **É como se estabelecêssemos um**

elo amoroso com qualquer coisa que atenue nossa sensação de desamparo. É claro que o primeiro atenuador do desamparo foi nossa mãe. Nossas relações afetivas adultas existem, entre outras razões, com a mesma finalidade: a de nos aconchegar, de nos fazer sentir menos incompletos. Dessa forma, podemos dizer que nossa mãe foi nosso primeiro vício, só que natural, ao passo que a chupeta foi o primeiro vício derivado de sua substituição. O que dizer dos amores da fase adulta? São vícios idênticos aos que estabelecemos com objetos como a chupeta; são substitutos do vício original: nossa mãe. Por que vícios e não hábitos? Porque, ao menos como regra, estabelecemos elos que implicam tamanha dependência que a ausência do amado determina dor muito forte; é grande também o impulso de fazermos qualquer tipo de concessão — mesmo as que ultrapassam os limites estabelecidos por nossos princípios morais — para diminuir o risco de perda daquele que é o objeto do amor.

Um vício corresponde, pois, ao estabelecimento de um tipo especial de ligação com um objeto, droga, situação ou ser humano, de forma que nos sentimos desesperados quando não conseguimos acesso ao que necessitamos. **Vício implica necessidade, que é condição muito diferente daquela do hábito, no qual o que existe é o desejo.** Necessidade é imperiosa e desejo é vontade, cuja não-realização não nos leva ao desequilíbrio emocional nem a fazer qualquer coisa com o objetivo de chegar ao ponto que gostaríamos. Necessitar é precisar, enquanto desejar é querer muito. Inúmeras pessoas gostam de tornar imprecisas essas fronteiras, sempre com o intuito de encobrir a profunda dependência que já estabeleceram com algo, particularmente com uma droga. Gostam de pensar que têm controle sobre a situação, que seriam capazes de romper aquele elo a qualquer tempo, mas que não o fazem porque não é isso o que desejam.

Isso não é verdade. O alcoólico que diz que bebe porque gosta e larga a bebida no momento em que achar conveniente está enganando a si mesmo ou, com mais freqüência, tentando enganar as pessoas que o cercam. A dependência, tanto a de natureza química como a psicológica, se estabelece de forma insidiosa e se consolida de maneira tal que a ruptura desse tipo de aliança corresponde a um dos maiores desafios que uma pessoa pode ter de enfrentar ao longo da vida. **Tenho dito que, para um adolescente se viciar no uso da maconha, do cigarro de tabaco, do álcool ou da cocaína, basta que seja um jovem comum, um tanto ingênuo e pretensioso, como é o caso de quase todos eles. Agora, se pretender se livrar de qualquer desses vícios, terá de passar por um caminho dos mais dolorosos e exigentes, até o limite máximo de suas forças e possibilidades.**

Muitas vezes, subestimamos as dificuldades envolvidas, por exemplo, na interrupção do uso da cocaína por jovens viciados. Pode parecer que são suficientes uma razoável dose de força de vontade, algum tipo de orientação psicológica e um adequado auxílio farmacológico para que eles consigam abandonar, para sempre, esse que é um dos mais graves vícios contemporâneos. Qual o quê! A droga penetra de tal forma a intimidade dessas pessoas que a vida passa a ser percebida como impossível sem ela. De que vale viver se não puderem cheirar aquele pó branco que lhes provoca uma sensação de força, inteligência, superioridade, valor, de tudo enfim que gostariam de ser e ter e que não são nem têm? Como abrir mão disso? O que restará a esses jovens que, há anos, têm no uso da cocaína seu maior entretenimento, que encontram nos outros usuários a fonte das relações pessoais e mesmo afetivas, que não sabem mais como é viver sem que ela esteja presente em todos os momentos? A sensação é de que nada mais restará, de que a vida não vale a pena, de que é melhor morrer de tanto usar a droga do que abandoná-la.

Há outras agravantes além da dependência química, maiores ou menores conforme a droga envolvida: muitos são os casos em que seu efeito sobre o sistema nervoso central determina um estado de torpor tal que a força de vontade não pode ser evocada, uma vez que não existe mais nenhum tipo de domínio da razão sobre os desejos do indivíduo — isso nas raras exceções em que já tenha existido, pois os jovens que se dirigem com insistência para o rumo das drogas não costumam ser os mais metódicos e disciplinados. Se usarmos o exemplo do vício mais comum, relacionado com o cigarro de tabaco, poderemos ter uma idéia de como a força de vontade — outro nome para disciplina pessoal, para domínio racional sobre si mesmo — é insuficiente para seu abandono. As pessoas não padecem dos prejuízos psíquicos próprios da ingestão de outras drogas, de modo que estão de posse de todas as suas faculdades mentais. Sabem perfeitamente que o cigarro faz mal à saúde, que deveriam abandoná-lo. O que acontece? Continuam a fumar, a se relacionar de forma íntima com esse cilindro branco sentido como amigo e companheiro de todas as horas, principalmente das mais difíceis e angustiantes. Sentem falta da nicotina, do objeto entre seus dedos, nos lábios, do charme que acreditam possuir quando estão soltando as baforadas de fumaça; sentem a desproteção, o desamparo e o desespero quando percebem que não estão com um maço cheio naquele bolso que sempre o carrega. Gostam de saber que têm vários maços daquela marca de cigarro guardados em casa. Isso as conforta e lhes dá proteção, segurança. Como é fascinante, sutil e perigoso nosso mundo interior!

É incrível, mas é assim que as pessoas se relacionam com o cigarro! Nesse contexto, é possível entender como relutam tanto em abandoná-lo, como se sentem deprimidas quando decidem parar de fumar e como freqüentemente voltam ao vício mesmo quando iniciam a tarefa da supressão com a maior boa vontade e firmeza de propósitos. **O pensamento vai se modificando, vai "amolecendo" em razão da falta que o cigarro faz à medida que passam as horas, intermináveis, de abstinência. Esse amolecimento leva ao surgimento de falsas dúvidas que têm por fim encontrar uma saída digna para a reaproximação com aquele adorável companheiro ci-**

líndrico: começa-se a pensar que afinal de contas o cigarro não deve fazer tão mal assim, que muito do que se diz contra ele é parte de um complô que visa a esconder outras causas de mortalidade precoce próprias da modernidade, intimamente ligadas às peculiaridades competitivas do capitalismo etc. A seqüência de pensamentos desse tipo determina, em poucos minutos, a mudança radical de postura e a retomada do vício. Se isso acontece com o cigarro de tabaco e em pessoas disciplinadas e fortes para tolerar tantas outras restrições, o que dizer dos problemas enfrentados pelos viciados em cocaína que se dispõem a abandoná-la? Já registrei que eles são, como regra, jovens já não tão disciplinados e que sofrem importantes abalos em sua precária força psíquica em decorrência do próprio efeito da droga. É melhor tentarmos fazer de tudo para que não se viciem, pois é evidente que a recuperação posterior envolve esforços hercúleos, nem sempre bem-sucedidos.

Por que nos viciamos? É muito claro, para mim, que isso se dá pelo fato de determinada substância, prática ou situação nos provocar um bem-estar especial que desejamos sentir repetidas vezes. Não nos viciamos em coisas ruins, que não nos provoquem sensações interessantes. Os efeitos nocivos de nossos vícios só nos serão apresentados muito mais tarde, já os agradáveis chegam imediatamente. As substâncias ou situações que nos viciam nos parecem muito prazerosas. É como se comêssemos uma maçã envenenada: inicialmente, só percebemos a bela fruta e a mordemos por isso; as primeiras mordidas são ótimas e só depois é que os efeitos negativos do veneno se manifestarão. **Viciamo-nos não só porque o que nos é oferecido é bom e prazeroso, mas também porque preenche alguma lacuna que possuíamos. Sim, porque o uso de dada substância que nos provoca prazer não se transformaria em necessidade se não passasse a fazer parte de algo muito importante em nossa vida subjetiva.** Se o cigarro fosse apenas um cigarro, não ficaríamos dependentes. É que, de repente, ele é nossa muleta, fonte de segurança, um remédio para nosso desamparo, algo que nos faz sentir menos sozinhos. **Viciamo-nos porque aquilo que nos dá determinado prazer se intromete no mais profundo e básico de nossa subjetividade e lá provoca algum tipo de apaziguamento de importantes dores psíquicas.**

Vejamos o que pensar sobre as relações amorosas que estabelecemos em qualquer época da vida adulta e como nossos sentimentos e procedimentos se aproximam daqueles que, muito resumidamente, descrevi para os vícios relacionados com o uso de drogas e do cigarro. **Mais ou menos rapidamente — e, não raro, de forma abrupta —, uma pessoa que antes nos era indiferente se transforma em especial e única. Com ela estabelecemos um elo extremamente prazeroso, de modo que sua presença nos deixa alegres, otimistas, nos faz sentir completos.** Experimentamos uma sensação de prazer bastante complexa, mas que tem como importante ingrediente a sensação de sermos inteiros em vez de metades vazias e tristes. **Sentimo-nos amparados. Todas as sensações**

dolorosas que associamos ao estado de solidão, à ausência de alguém que nos seja particularmente significativo, desaparecem com a chegada dessa pessoa. Por ela, experimentamos o sentimento de amor, posto que sua presença nos deixa felizes e gratos por ter nos salvado daquela dor relacionada com o abandono próprio de nossa condição.

É certo que tendemos a nos tornar brutalmente dependentes da presença dessa pessoa. Queremos que esteja sempre a nosso lado, o mais junto possível. Se tendemos a nos apegar a um cilindro de tabaco, o que dizer de um ser humano que aparece como o remédio para todos os nossos grandes males? Em um primeiro momento, o encontro desse parceiro amoroso nos provoca mesmo a sensação de termos descoberto a solução para tudo. Parece que não precisamos nem precisaremos de mais nada; basta que ele esteja grudado a nós o resto da vida. Não necessitamos mais de dinheiro nem das coisas que ele pode nos proporcionar, tampouco de outras pessoas, de modo que podemos até sonhar em abandonar tudo que fazemos e partir, com o amado, para uma ilha deserta — ou qualquer tipo de alternativa equivalente. Em um primeiro momento, parece que está tudo no lugar, que a vida tem sentido e é boa.

É evidente que não podemos sequer imaginar o amado nos abandonando, tendo interesses por outras pessoas e mesmo por outros assuntos. Não podemos nos imaginar longe dele por mais que alguns minutos ou horas. Temos de saber sobre ele e se ainda nos ama

da mesma forma e com a mesma intensidade que até há pouco. É preciso estar em permanente contato com ele, se não visualmente, pelo menos por conversas telefônicas. Qualquer distanciamento maior, que por vezes é inevitável, determina a sensação dolorosa da saudade, sempre associada ao medo de perda daquele que nos dá tanto prazer porque é, com sua simples presença, o remédio para nossas maiores dores. Não devemos desprezar os prazeres derivados da intimidade física, em particular os de natureza sexual, que se acoplam ao prazer amoroso relacionado com a atenuação do desamparo, nem os prazeres oriundos de uma real intimidade intelectual, capaz de gerar boas conversas similares às que temos com nossos amigos. **Acredito que o mais intenso componente do vício amoroso esteja relacionado com a atenuação do desamparo. Os ingredientes prazerosos positivos, ligados ao sexo e às afinidades intelectuais, levariam à tendência para o hábito, para o surgimento do desejo da companhia e não da necessidade que caracteriza o vício.**

É vício mesmo a dependência psicológica que deriva do encontro amoroso entre duas pessoas que se sentem muito mal quando estão sozinhas. Elas não suportam ficar longe daquela que as completa, fazem qualquer tipo de concessão para não perdê-la, se submetem a arbitrariedades que provavelmente não aceitariam em outra condição. A dependência psicológica que se desenvolve em relação à pessoa amada determina uma fragilidade muito grande, sobretudo nos casos, nada raros, em que o processo é unilateral. Ou seja, quando um ama de verdade e o outro se deleita em ser amado e em se aproveitar da vulnerabilidade e tolerância exacerbada do que o ama, assistimos a ridículos espetáculos — que são caricaturas do que acontece quando há certa delicadeza — decorrentes do poder que quem ama menos exerce sobre aquele que ama mais intensamente. Sim, porque, com freqüência, sempre há um que depende mais intensamente e que poderá ser objeto de abuso se não tiver se encantado por alguém que respeite seus sentimentos.

O que ama depende do amado tanto quanto o viciado em cocaína depende da droga. **A situação é muito mais grave quando somos viciados não em algo que podemos comprar, mas em alguém que pode, além de tudo, usar e abusar do poder que passa a ter sobre nós. A situação só não é tão catastrófica porque, em geral, a dependência é recíproca, ainda que de forma variada, condição na qual os abusos são limitados pelo temor da perda.** Explica-se com facilidade a tendência das pessoas envolvidas nesse tipo de relação a desenvolver estratégias variadas de controle recíproco que visam estimular ainda mais a dependência do amado; um dos objetivos é minimizar os riscos de uma eventual dependência unilateral, que teria conseqüências drásticas para aquele que depende e pode ser objeto de todo tipo de abuso. Em outras palavras, boa parte da trama que se estabelece nas chamadas relações amorosas tem por objetivo fazer que a dependência seja recíproca, condição que aparece como menos ameaçadora: que o amado seja tão viciado em nós quanto somos nele. Não é uma boa saída, mas é a menos má.

Se o que ama for rejeitado de forma drástica, o que implica interrupção efetiva do relacionamento que mantinha com o amado, observaremos os interessantes fenômenos relacionados com alterações de valores internos que, como regra, são muito respeitados. Depois de tentar argumentar contra a ruptura do relacionamento, o que ama poderá se afastar do amado. Conseguirá se sustentar nessa posição de dignidade e amor-próprio por certo tempo. Mais tarde, exatamente como qualquer viciado em drogas, começará a sentir os sinais de uma seqüência de mudanças em seu modo de pensar em decorrência da dor que a falta do amado provoca. As dores que derivam dos sentimentos amorosos frustrados passam a predominar sobre o bom senso e determinam pensamentos do tipo: "Afinal de contas, o que custa ligar mais uma vez e tentar dissuadi-lo de me abandonar?" Ou então: "Quando se ama de verdade, não tem sentido se preocupar com dignidade e amor-próprio; quem ama tem de lutar com todas as armas para reconquistar o amado". **Essas e outras posturas são racionalizações, fórmulas com aparência de raciocínio que, na base, apenas significam que a pessoa não está mais agüentando a dor de estar longe de seu vício: o amado;** ela busca argumentos, aparentemente defensáveis, para justificar ações que a levem ao lugar que seus sentimentos pedem, ainda que em oposição aos desígnios da razão. **Para se livrar de uma dor insu-**

portável, ela se dispõe até a passar por graves humilhações. Isso acontece mesmo com pessoas muito orgulhosas, de modo que reflete quanto o "desejo lancinante" — ou "fissura" — do amado pode interferir no modo de pensar e de agir delas.

Essa peculiaridade da pessoa de estar disposta a fazer "qualquer negócio" para se reaproximar da outra ou não perdê-la é que define o vício, a dependência brutal, que vai muito além do que manda o bom senso. Não há como negar as semelhanças entre os processos envolvidos na forma como ama a maior parte dos adultos e aqueles que se dão nos dependentes de drogas e de outros tantos vícios.

A VAIDADE REFORÇA O AMOR COMO VÍCIO

O amor determina extraordinária dependência psicológica de uma pessoa adulta por outra, exatamente como se ela fosse uma criancinha totalmente indefesa e incapaz de se sustentar com as próprias pernas. Os que amam assim sentem que perder o amado é perder as forças para viver, de modo que não conseguem ver sentido na vida longe dele. O vício é brutal, é vida ou morte. O fato de uma pessoa se sentir amada por outra tida como especial faz que ela veja importância na própria vida. Ou seja, o amor nos faz sentir aconchegados e significantes, condição que atenua outra de nossas grandes dores. O aconchego suaviza a dor do desamparo e a significância nos deixa menos magoados com nossa insignificância cósmica, com o fato de que, do ponto de vista do universo, não somos mais do que uma formiga. O amor nos gratifica e nos faz sofrer menos por dois caminhos, viciando-nos de duas maneiras.

Quero introduzir mais um ingrediente capaz de nos tornar extremamente viciados no amor, aquele por meio do qual o amor faz muito bem a nossa vaidade, que é tão ofendida por nossa insignificância cósmica. Esse prazer erótico relacionado com o exibicionismo e com o desejo de destaque nos seduz por diferentes caminhos: excitamo-nos ao sermos admirados por uma multidão ao mesmo tempo que nos enlevamos por sermos a criatura mais importante na vida de uma só pessoa, desde que ela seja especial para nós. Desejamos o destaque público, o sucesso e a atenção plena na vida privada. Acostumamo-nos, por exemplo, a chegar em casa e encontrar a pessoa amada nos aguardando. Seus olhos se iluminam ao nos ver e isso nos faz sentir importantes, relevantes, significantes. Aliás, o mesmo acontece quando nosso cão corre em nossa direção e pula de felicidade porque chegamos em casa. Sentimo-nos muito especiais e isso neutraliza a dolorosa sensação de insignificância cósmica. É interessante ressaltar que a consciência da insignificância também pode ser geradora de uma agradável sensação de alívio, de que não temos tantas obrigações a cumprir aqui na Terra, de que podemos viver um pouco mais para nós mesmos, indo atrás dos prazeres e interesses pessoais. Tudo é faca de dois gumes.

De todo modo, não podemos subestimar quanto os fenômenos relacionados com a vaidade podem determinar uma forte tendência para o vício. **Apegamo-nos intensamente a tudo que abrande nossas dores essenciais; isso será particularmente verdadeiro para aquilo que, além de amortecer uma dor, provoque enorme prazer — e de natureza sexual, o prazer do corpo por excelência.** Todos que tiveram a oportunidade de desfrutar alguma situação de destaque sabem quanto podem se entristecer quando privados desses sinais externos que nos provocam a sensação de sermos especiais e, por vezes, únicos. Quando uma mulher muito atraente percebe que os olhares dirigidos a ela se tornam menos freqüentes em virtude da passagem dos anos, experimenta forte depressão e não raramente se dispõe a fazer qualquer tipo de sacrifício para recuperar seu poder sensual. Um artista que perde a popularidade e não é reconhecido como antes quando anda pelas ruas comumente é levado a um estado depressivo que em muitos casos predispõe ao alcoolismo.

Muitos dos comportamentos que se repetem de modo insistente têm relação com algum tipo de alimento à vaidade. **A compulsão para sair às compras, por exemplo, costuma estar vinculada à antevisão dos efeitos que um novo visual poderá determinar nas pessoas em geral, no grupo que se pretende impressionar de modo particular ou mesmo na pessoa amada, a quem interessa provocar um impacto particularíssimo.** É possível que um estado de alma de natureza depressiva predisponha para esse tipo de procedimento; a antevisão dos prazeres eróticos relacionados com o exibicionismo geral ou particular funciona como o remédio, como o bem que espantará aquele mal. Contudo, não creio que seja necessário nenhum estado prévio de um desconforto psíquico específico para que as pessoas tendam a buscar as prazerosas sensações associadas ao exibicionismo.

Da mesma forma, não acredito que seja muito diferente o que acontece — mais tipicamente nos homens, em oposição ao vício de comprar, que é mais comum nas mulheres — quando se sai em busca de novas conquistas eróticas. O "viciado na conquista sexual" é aquele que tenta continuamente seduzir criaturas desconhecidas, sempre com o intuito de aferir seus poderes e se sentir prestigiado com cada sucesso. Penso mesmo que o prazer derivado do ato sexual em si é de relevância menor do que aquele que advém do prazer relacionado com a vaidade de ter sido capaz de fazer mais uma "vítima". A mulher se encanta, se excita e se infla de vaidade ao despertar o desejo de inúmeros homens; comprar roupas novas e provocantes já determina prazeres de tal ordem, porque esse já é o primeiro ato da peça. O homem se encanta, sente-se forte e especial ao perceber que é capaz de seduzir e conquistar o maior número possível de mulheres; sai a campo com esse fim e não raramente gasta a maior parte de seu tempo nessa prática; só fica totalmente gratificado em sua vaidade quando a conquista se consuma.

Um importante vício ligado à vaidade corresponde a um dos componentes que nos prendem ao trabalho. Não deixa de ser interessante percebermos que aqueles que nunca trabalharam não sentem a falta que observamos nos que já se dedicam a esse tipo de atividade, mormente os que desempenham uma tarefa destacada. Seria simplório considerarmos esse o único fator que nos ata ao trabalho, ao qual nos dedicamos também porque necessitamos de retorno material e gostamos de nos manter entretidos intelectualmente em temas outros que não nós mesmos; por essa via, sentimo-nos úteis, além de contar com boa fonte de relacionamentos pessoais e de conhecimento de pessoas com as quais podemos ter afinidades maiores. Assim, o trabalho acaba por se transformar na atividade mais consistente e estável da vida de muitos de nós justamente por preencher várias de nossas necessidades e anseios íntimos. **Por conter tantos elementos gratificantes e importantes a nossa subjetividade, o trabalho talvez seja o único evento existencial comparável ao amor, a única atividade que tenha peso e importância igual ou superior ao amor em nossa vida.**

Tendemos a nos apegar de modo mais intenso às práticas ou situações que mais firmemente atenuem nossas dores e que nos dêem a maior quantidade possível de prazeres. O amor, sentimento que desenvolvemos em relação a dada pessoa, tende a viciar porque esta passa a ser nossa principal fonte de aconchego. Além disso, muitos dos comportamentos do amado relacionados com ações que nos prestigiam também nos fazem sentir importantes, especiais, únicos e, portanto, significantes. Adoramos nos sentir assim, de forma que nos apegamos ainda mais à pessoa que desperta em nós tantas sensações agradáveis. **Na verdade, viciamo-nos na pessoa amada e não no sentimento que temos por ela. Quando me reporto ao vício do amor, estou me referindo à dependência psicológica máxima que sentimos em relação a determinada pessoa.** Se podemos nos sentir mal pela ausência de um cilindro branco cheio de pedaços de tabaco, o que dizer do vazio que sobra em nós quando nos vemos privados de um ser humano que nos aconchega e que ao mesmo tempo nos faz sentir importantes? Insisto em afirmar que a dependência psicológica, ingrediente principal em todas as dependências de drogas, é de natureza idêntica à dependência que sentimos de um objeto amoroso. Trata-se de fenômeno intensíssimo e de difícil resolução. Jamais deveríamos subestimar as dificuldades que fazem parte do processo de recuperação de um viciado.

Da mesma forma, não deveríamos nos surpreender tanto quando uma pessoa bem constituída e equilibrada na maior parte dos setores da vida adulta se mostra totalmente desequilibrada ao lidar com uma perda amorosa. Não surpreende que um homem ou uma mulher, em tudo normais, tenham comportamentos completamente desregrados diante da iminência de uma perda amorosa. Não espanta que se humilhem, que se escondam diante da casa ou do trabalho do amado para tentar saber o que ele está fazendo e se está saindo com alguém, que estejam dispostos às maiores concessões ao amado e renúncias a seus princípios para que a ruptura amorosa não aconteça. **Ao se sentirem efetivamente ameaçadas de abandono, muitas pessoas terão atitudes inesperadas, dispondo-se a ter o filho que até então não queriam, a abandonar um trabalho que era sua maior paixão, a aceitar deslealdades e infidelidades sentimentais e sexuais que jamais aceitariam, e assim por diante. O mesmo observamos em um drogado, que passa a mentir e abre mão de vários outros princípios se isso for necessário para não se ver privado da droga que tão desesperadamente necessita. Se a perda do aconchego já determina enorme tendência ao desespero e à busca desequilibrada de qualquer tipo de solução capaz de reverter a ruptura do elo amoroso, mais complexa ainda fica a questão quando se perde também um tipo muito especial de prestígio, aquele que vem da pessoa sentida como única e insubstituível.**

A sensação associada à perda amorosa é mesmo dramática, de dimensão idêntica àquela relacionada com a morte das pessoas que nos são essenciais, tais como pais e filhos. O desespero leva a condutas estabanadas, à perda da compostura e a atitudes inconvenientes, muitas vezes vinculadas ao assédio do amado. Aquele que foi abandonado poderá agir de modo grosseiro, ameaçando o amado tanto com violência contra ele como com chantagens sentimentais de todo tipo; é nesse contexto absurdo que muitos se dispõem até a fazer greve de fome para que o amado mude de idéia. Poderá tentar comover despertando piedade ou então usar ardis variados com o intuito de forçar a reconciliação. Todo esse amontoado de comportamentos ridículos só serve para nos indicar, de forma até caricatural, o caráter de vício presente nos fenômenos do amor.

Nada mostra de modo mais cabal essa faceta do amor do que o que acontece com as que têm sido chamadas de "mulheres que amam demais". Na verdade, são criaturas, efetivamente mais mulheres, que desenvolvem a dependência psicológica própria do vício do amor em um tempo de convivência mínimo. Ou seja, elas saem com um homem e ao fim de poucas horas de convívio já sentem que não serão mais capazes de viver longe dele. Passam a agir com cobranças de todo tipo, como se o parceiro recém-encontrado lhes devesse lealdade e companheirismo. Não querem saber de nenhum tipo de argumento; desejam aquele convívio para sempre e não conseguem mais imaginar a vida sem seu par. Os homens que se envolvem nessa situação — que é totalmente inesperada, pois tais mulheres são iguais às demais no que diz respeito aos outros aspectos da vida — tendem a fugir delas, o que é mais do que natural. Então elas se desesperam mais ainda e vão à caça de forma estabanada e, por vezes, cruel. Agem como se tivessem sido lesadas, como se estivessem sendo abandonadas por um noivo que há anos lhes prometeu casamento quando estiveram com um homem por uma ou duas noites apenas. **Assim como existe amor à primeira vista, tudo nos faz crer que também exista o vício do amor à primeira vista. O fenômeno é terrível, pois muitas dessas mulheres são criaturas interessantíssimas de todos os**

pontos de vista e, mesmo assim, só experimentam situações afetivas nas quais os homens fogem delas de forma desesperada. Só encontram paz quando estão solitárias, destino usual de muitas delas.

Cabe ainda levantar um último ingrediente presente nas relações amorosas que contribui para que elas sejam vividas como um vício. Trata-se de um desdobramento da incerteza que acompanha os envolvimentos amorosos, sobretudo nos primeiros tempos e mais particularmente ainda naqueles de maior intensidade. O medo de perder o amado é condição bem diferente da perda efetiva, causadora das dores já descritas; ele é próprio de nossa condição humana, pois não temos controle sobre o que o futuro nos reserva; nos faz viver em um estado de incerteza, de dúvida permanente acerca da estabilidade daquilo que temos. O medo de perder o amado é máximo quando a dependência amorosa é grande e resulta da insegurança pessoal, das dúvidas que todos temos acerca de nosso real valor e de quanto poderemos ser efetivamente encantadores para o outro que tanto nos é caro. O temor nos faz pensar e repensar sobre todos os diálogos que tivemos com o amado, sempre tentando antecipar suas intenções mais profundas e sinceras. Deixa-nos atentos aos detalhes de seu modo de proceder, angustiados com os mínimos atrasos nos horários combinados, aflitos diante de qualquer alteração do timbre de voz ao telefone etc. Torna-nos como que obcecados por ele, observando-o e temendo qualquer modificação de seus sentimentos ou intenções em relação a nós.

Esse estado de medo determina uma descarga de adrenalina que é sentida como um tanto desagradável em virtude das palpitações que a acompanham, mas que também dá à pessoa a sensação de estar vivendo uma história emocionante, especial, intrigante. **Com a atenção presa ao amado e vivendo o relacionamento dessa forma inquietante, a pessoa se sente ainda mais vinculada a ele, agora parceiro de uma aventura ímpar e perigosa. Esse estado de espírito tende a provocar o vício, uma vez que prende totalmente nossa atenção e nos faz sentir importantes e ameaçados. É provável que seja esse o ingrediente principal que determine o vício do jogo, tão emocionante para um número não desprezível de pessoas. Criaturas cultas e inteligentes já perderam tudo que foram capazes de construir em uma mesa de jogos, em um cassino ou apostando em corridas de cavalos. Em que pensa o jogador diante de uma mesa onde uma bolinha escorrega pela roleta? Pensa apenas naquilo, de modo que se "esquece" de outras dores eventuais que possa estar sentindo.** Poderá mesmo se esquecer completamente de que foi abandonado por sua mulher ou de que está gravemente doente. Esquece-se de tudo e fica excitado, eletrizado pela descarga de adrenalina. Sente o entusiasmo da vitória próxima e o desgosto da derrota que acabou de acontecer, mas que nada diz a respeito da próxima jogada. Tantos benefícios não poderiam deixar de tender para o estabelecimento de um vício que, como os outros, é muito difícil de ser superado. Esse tipo de entretenimento é suficientemente forte para se transformar na atividade mais interessante e mais procurada por um sem-número de pessoas em nada diferentes de nós.

Nos estados de paixão, em que a intensidade sentimental é máxima — graças a uma fusão muito bem-sucedida que decorre das grandes afinidades presentes — e o medo é enorme, podemos dizer que a vivência amorosa se aproxima muito do que acontece com um jogador diante da roleta. Parece que o resto do mundo não existe. A única coisa que interessa é estar ao lado do amado — e isso porque é impossível estar "dentro" dele, que é o desejo verdadeiro. Dizer a todo instante que o ama e ouvir o mesmo dele é o que mais importa. Dizer que ele é incrível, maravilhoso e ouvir o mesmo dele é o que mais envaidece. É como se as gratificações da vaidade ficassem totalmente concentradas em uma só pessoa, a única capaz de provocar a sensação adorável de que se é especial e importante. A dependência é máxima e máximo é o medo, uma vez que a individualidade se ressente dramaticamente de tanta fusão e luta contra ela de forma feroz, o que determina um efetivo risco de ruptura, como sempre perceptível de modo mais claro no outro do que na própria pessoa.

Não sobram energia nem disponibilidade psíquica para mais nada que não seja acompanhar e tentar gerenciar essa disputa interna entre o desejo de fusão e a necessidade de preservação da identidade. A disputa é a mesma no amado, de modo que os riscos de desequilíbrio e ruptura da relação vêm de ambos os lados e podem dar sinais de vida a qualquer instante. Joga-se um jogo pesado, suficientemente dramático para impedir outros pensamentos e para concentrar todos os interesses. E é curioso que esse estado seja vivido como condição boa, como sensação prazerosa, tanto porque estamos perto de alguém muito especial quanto porque nos sentimos experimentando um sentimento raro, único mesmo, como também porque não temos interesse em nenhum dos outros contratempos da vida nem disponibilidade para eles. **O dinheiro perde importância, a fome deixa de existir, assim como o sono. Vivemos um "estado extraordinário", muito distinto do "estado ordinário", comum aos míseros mortais. Sentimo-nos importantes por ter o privilégio de viver essa condição de total obsessão, em que o caráter patológico é relativamente óbvio. Contudo, vivemos esse estado não como uma grave neurose regressiva, e sim como o mais belo e digno sonho de amor. Essa visão reforça ainda mais a vaidade, que intensifica ainda mais o vício contido no processo.** A paixão nos dá aconchego, nos faz sentir especiais e superiores e nos entretém com temores internos que nos deixam totalmente desinteressados dos outros aspectos de nossa vida e da vida no planeta. Há algo mais parecido com esse estado de alma do que o que se observa nos viciados em morfina, heroína ou nos jogadores compulsivos?

ALGUMAS REFLEXÕES SOBRE DEPENDÊNCIA E INDEPENDÊNCIA

Não posso terminar este ensaio sem fazer algumas considerações acerca da questão da dependência como um todo. Sou daqueles que, de minha geração, foram profundamente influenciados pelas idéias e ideais dos anos 1960. Assim, a questão da liberdade jamais deixou de me acompanhar. Em meus primeiros trabalhos, o encontro amoroso aparecia, antes de tudo, como evento capaz de nos ajudar a percorrer o caminho do crescimento e da libertação. Nunca deixei de levar em conta os perigos aí envolvidos, motivo de preocupação já em 1975. Sempre temi que o amor parecesse mais emancipador do que o fosse de fato. Ao que parece, é o que acontece. Sim, porque, quando uma pessoa vive uma condição dolorosa tanto na casa de seus pais como em outro tipo de contexto, o surgimento de alguém capaz de determinar o encantamento amoroso poderá vir a ser a força motriz para que ela acione as mudanças que deseja fazer. **O amor dá a coragem necessária para a pessoa sair de casa ou de qualquer outro ambiente sentido como opressor, e isso é vivenciado como grande libertação. Agora, é preciso observar com atenção e acompanhar o tipo de relacionamento que se estabelecerá por meio desse encantamento amoroso que provoca o desabrochar inicial e verificar se ele não se transformará em outro elo opressivo, e se esse elo não terá características similares às daquele do qual a pessoa se libertou.** É necessária uma acurada observação dos fatos para a pessoa saber se houve real avanço no processo emancipatório ou se ela apenas mudou de contexto, "de dono".

Para os que são, como eu, fascinados pela liberdade individual — ainda que não seja fácil definir exatamente o que é isso nem quais são seus limites —, qualquer condição que implique dependência soa imediatamente como algo duvidoso. É sabido que a plena independência corresponde a uma condição ideal, que a vida social moderna determinou complexas inter-relações e interdependências e que nenhum de nós pode pretender ter total autonomia em relação ao meio em que vive, a não ser à custa de drásticas renúncias. Dependemos do meio social para ganhar nosso sustento, e isso, por si, já é uma importante limitação à liberdade individual. As limitações vão desde seus aspectos mais superficiais — modo de vestir, de se apresentar, comprimento dos cabelos etc. — até as mais essenciais — dependendo do contexto, estado civil, orientação sexual, crenças religiosas etc. Viver em sociedade traz indiscutíveis benefícios e limita de forma inevitável a liberdade sexual, além de nos impor a "domesticação" da agressividade e de outras tendências que nos constituem. Não vou contestar, ao menos por ora, tais limitações, tidas como indispensáveis à vida em comum.

Entretanto, o fato de existirem limitações inevitáveis a nossa liberdade individual e de termos sempre elos e dependências em relação ao meio social no qual vivemos não significa que já somos mesmo dependentes e que, portanto, tanto faz uma dependência a mais ou a menos. Não quer dizer que uma pessoa não se incomode ao ter de sair no meio de uma sessão de cinema porque não suporta ficar duas horas sem acender um cigarro. Quem já foi viciado no uso do cigarro — e eu fumei por 35 anos — sabe a dimensão da humilhação que está contida na necessidade de encontrar uma falsa desculpa — do tipo "Tenho de ir ao banheiro" — para satisfazer o desejo lancinante de dar umas tragadas. A realidade é que cada nova dependência nos entristece e nos faz diminuídos a nossos olhos. Talvez aquelas relacionadas com a vida em comunidade sejam as mais dramáticas, mas são as que fazem maior sentido a nossa razão, sendo, por isso mesmo, mais suportáveis. As dependências que não aparecem como tão indispensáveis ao bem comum e ao bom andamento da vida social podem ser menos importantes, porém são as que nos fazem sentir diminuídos, o que as torna muito menos suportáveis.

Uma das características do modo de pensar de grande parte das pessoas consiste em repetir normas vigentes e tidas como verdadeiras apenas porque compartilhadas pela maior parte dos indivíduos. É sempre necessário, ao tentarmos analisar o pensamento e as atitudes das pessoas, saber quais são as tendências predominantes na maneira de pensar daquele grupo social em dado momento. Quando estudamos determinados assuntos, como é o caso do que estamos abordando, qual seja, o da liberdade *versus* dependência, é muito importante separarmos o que as pessoas dizem do que elas fazem. Sim, porque esse é um daqueles temas em que o discurso costuma ser muito diferente das ações. Quando acontece a discrepância entre os dois, é óbvio que temos de dar mais peso aos atos do que às palavras.

O discurso predominante em nossa sociedade é o do elogio da liberdade individual, da independência e do di-

reito legítimo que todos temos de ser e de agir do modo que bem quisermos, desde que isso não interfira nos direitos das outras pessoas. E essa última observação já abre a porta para várias interpretações e para uma multiplicidade de posturas. Não são claros, por exemplo, os direitos dos filhos de agir de acordo com sua vontade quando contrariam os pontos de vista dos pais, os quais se sentem pessoalmente ofendidos com certas atitudes suas, como se eles estivessem prejudicando os legítimos direitos da família. As possibilidades, só nesse caso, são inúmeras, mas apenas uma poderá mostrar a dimensão dos dilemas aí envolvidos: o fato de alguém se declarar homossexual costuma magoar terrivelmente os pais e os irmãos, que se sentem pessoalmente lesados por sua conduta. É direito seu optar pela homossexualidade — se é que se trata de opção — ou ele terá de agir de acordo com a expectativa da família para não ser causador de prejuízo aos direitos dela?

A verdade é que as famílias interferem em todos os comportamentos de seus filhos, mesmo naqueles que envolvem acontecimentos muito menos dramáticos do que o mencionado. Seu rendimento escolar parece ser de importância capital para a reputação dos pais, de modo que eles se sentem no direito de fazer de tudo para que as notas sejam boas, principalmente porque os resultados negativos seriam motivo de uma vergonha coletiva. **A vaidade humana é ilimitada e não reconhece nem mesmo as fronteiras do próprio corpo. Todos que nos representam socialmente deverão, por onde passarem, fazê-lo de forma a elevar nosso conceito.**

Fenômenos inversos ocorrem a todo momento. Qual o efetivo direito dos pais que tentam restringir movimentos emancipatórios dos filhos? Se um deles decidir morar em outro país, isso provocará dor nos pais. Têm direito de tentar dissuadir o filho, ainda que disponham de bons argumentos para isso? A verdade é que nossos filhos se separam de nós, mas nós não nos desgrudamos totalmente deles. Continuamos dependentes deles e exigimos que a recíproca seja verdadeira. A imaturidade emocional dos pais, ou seja, dos adultos que povoam as cidades de todos os tamanhos é tal que não terão a menor condição de trabalhar para a independência dos filhos. Adultos imaturos necessitam que seus filhos permaneçam dependentes para não ser abandonados por eles.

O discurso pode ser a favor da liberdade e da independência, mas a prática defende mesmo é a dependência e a fragilidade dos filhos. Muitos são os pais que sabem que o melhor caminho para estimular a dependência da prole consiste em superprotegê-la. As facilidades materiais e existenciais fazem que não se constitua, de modo firme, a noção de dever, e o prazer em dominar os desejos, que é característico da disciplina — vitória da razão sobre as vontades imediatas —, não chega a ser descoberto. A excessiva facilidade que os filhos encontram impede a formação e a perpetuação desse ingrediente da razão, essencial para quem pretende ser livre, de modo que os jovens terão de se submeter aos pais porque não desenvolveram a força indispensável para a sobrevivência longe deles. Contarão com facilidades práticas e pagarão tais regalias com a dignidade pessoal, uma vez que provavelmente ela jamais se constituirá.

Adolescentes com precária auto-estima — o que é inevitável para aqueles que aceitaram docilmente a superproteção — e sem disciplina são presas facílimas dos que traficam drogas e estimulam seu uso. Não terão nenhuma força para reagir contra qualquer tendência coletiva nessa direção, de modo que só não serão viciados se estiverem vivendo em um ambiente no qual as drogas não estão sendo usadas ou se passarem muito mal fisicamente quando a experimentarem pela primeira vez. Ou seja, serão salvos apenas pelo acaso e não porque têm convicções íntimas e disciplina pessoal para fazer valer seu modo de pensar mesmo nas situações em que o desejo é grande. **Não deixa de ser ridículo observar que os pais educam os filhos para a dependência e depois se surpreendem com o fato de eles se tornarem dependentes também de drogas. Aqueles que quiserem ajudar seus filhos a não cair em tentações desse tipo terão de pagar o preço de vê-los realmente independentes, o que, na prática, significa independência em relação aos próprios pais.**

Pessoas imaturas emocionalmente, que não se sustentam com as próprias pernas, por meios próprios, e que têm muito medo de perder os afetos que as suportam, são sempre dependentes. Não têm força para qualquer tipo de conduta contestatória, de forma que delas não se pode esperar que surjam pensamentos ou ações renovadoras de qualquer natureza. **Pessoas dependen-**

tes são essencialmente conservadoras; agem de acordo com o que já está estabelecido e representam o modo de ser da maioria. Gostam de se destacar, mas não têm coragem para fazê-lo por qualquer meio que não seja, por exemplo, o uso do *piercing* — e ainda assim quando isso está na moda! Não é espantoso, pois, supor que as minorias que detêm o poder sempre tenham se colocado em uma posição contrária àquela que conduz à independência e à maturidade emocional. Governar cidadãos que pensam por conta própria talvez seja mais difícil; certamente seria mais difícil enganá-los. Não posso deixar de ser categórico: **vivemos em um meio social que estimula de modo enfático e direto a dependência e a imaturidade emocional, ainda que, por vezes, o discurso seja diferente disso.**

Esse meio social que louva a dependência não motivou as pessoas a pensar sobre a questão do amor. Apenas se diz que ele é o mais lindo dos sentimentos, que está cercado de razões que desconhecemos, que é rico em processos mágicos e incontroláveis e que não podemos deixar de viver suas emoções porque caso contrário não terá valido a pena ter vivido. Não interessa discutir as peculiaridades relacionadas com a fusão romântica, com o fato de as pessoas ficarem obcecadas umas pelas outras. Não interessa discutir a complexa trama de dominação recíproca que o ciúme determina nem o jogo de poder que a vaidade e as diferenças sexuais impõem entre um homem e uma mulher. Não interessa mensurar os benefícios e as perdas associadas ao processo amoroso, em cujo contexto é comum termos de dar satisfações permanentes de nossos atos a alguém que, como regra, se coloca no direito de nos julgar. Só interessa falar dos adoráveis momentos que a fusão verdadeiramente desencadeia, do aconchego e da riqueza desse sentimento capaz de levar as pessoas a um estado de elevação até espiritual. **Interessa falar que aquele que ama tende a se tornar não apenas generoso com o amado como mais caridoso e solidário com as pessoas em geral, o que nem sempre corresponde à verdade. Assim, amor fica associado a noções como evolução emocional, desenvolvimento moral, sofisticação religiosa, generosidade etc., propriedades que são consideradas virtudes indiscutíveis.**

Pessoas mais interessadas em cultivar sua individualidade, que se empenham em viver, ao menos por certos períodos, mais voltadas para si mesmas e para seus projetos pessoais, são tidas como menos desenvolvidas espiritualmente, emocionalmente imaturas e essencialmente egoístas, porque estão mais interessadas em cuidar de seus objetivos. **A mulher que decide não ter filhos tende, ainda nos dias de hoje, a ser vista como pessoa fria e com menos competência emocional. Sim, porque a mulher "normal" tem de ter seu "instinto materno" desenvolvido — assim se diz sem que se saiba o que isso quer dizer —, de modo a ansiar pelo dia da reprodução.** Se ela preferir se dedicar com plenitude e entusiasmo a sua profissão, será tratada como imatura, como uma pessoa muito mais egoísta do que outra que tenha filhos e não se dedique de modo aplicado a eles. **Por conseguinte, independência, individualidade e egoísmo são colocados como parte de um mesmo processo psíquico e tratados quase como se fossem sinônimos, como ingredientes de uma inadequação emocional e um desajuste social.** É claro que, pela maneira como costumamos pensar sobre as questões da moral, isso define o que é virtuoso na direção oposta, ou seja, na dependência, no amor e na generosidade.

Está formada, mais uma vez, a confusão moral, sempre muito mais conveniente para aqueles que têm pouco interesse na busca da verdade. É essencial separarmos, de modo definitivo, egoísmo de individualismo. Já afirmei várias vezes que o egoísmo corresponde à indevida apropriação daquilo que não nos pertence. O individualismo não implica apropriação do que não nos pertence, mas sim uma autonomia que o egoísta não pode ter, uma vez que terá de se apropriar do que necessita, já que não é capaz de gerá-lo. A rigor, individualismo requer autosuficiência na ausência de qualquer grande necessidade de receber o que quer que seja. Egoísmo envolve necessidade de receber, generosidade encerra necessidade de dar — e é por isso que tais criaturas antagônicas se atraem tão intensamente — e individualismo, ausência de necessidades desse tipo. Egoísmo e generosidade pressupõem dependência, e individualismo, independência.

Criaturas individualistas não estabelecem relacionamentos que implicam trocas? Poderão fazê-lo ou não. Se o fizerem, tratarão de definir critérios de reci-

procidade e de justiça. Não aceitarão as regras das relações que existem entre generosos e egoístas, nas quais um dá e o outro recebe. Pessoas mais competentes para se reconhecer como independentes e autônomas não têm interesse em relacionamentos que tendem à unilateralidade de posturas: não querem só dar ou só receber; querem dar e receber mais ou menos na mesma medida. Não precisando vitalmente dos outros, não sentem necessidade de se deixar abusar pelo oportunismo de muitos deles, agindo de modo generoso com criaturas que só querem levar vantagem.

Pessoas que conseguem se imaginar sozinhas, menos dependentes da presença de outras para se sentir minimamente acomodadas no mundo, podem também começar a refletir sobre temas que são descritos com a palavra "liberdade" e pretender ser criaturas menos dependentes da aprovação externa e mais aptas para agir de acordo com suas convicções e pontos de vista. Não têm de viver de acordo com as regras próprias do meio que as cercam; podem questioná-las, refletir sobre elas, aceitá-las ou não. Sempre gostarão de ser benquistas, mas podem suportar a rejeição se esse for o preço a pagar por uma conduta menos usual e mais condizente com a convicção pessoal. Não abrirão mão do sentido de justiça, agindo de forma generosa apenas para garantir privilégios afetivos ou para se sentir superiores àqueles que porventura ajudem. Nem cogitarão levar vantagem nas relações íntimas ou superficiais, pois sabem que o egoísmo implica enorme prejuízo prático pelo fato de acomodar uma criatura em sua condição de incompetência, além, é claro, do grande mal que causa à auto-estima. Pessoas independentes tendem, pois, a ser criaturas mais livres e mais justas.

Tais criaturas, mais auto-suficientes, tornam-se frias, despojadas de sentimentos de solidariedade, incapazes e desinteressadas das coisas do amor? Minha experiência permite dar uma resposta negativa a essa pergunta. O que acontece com elas é que passam a ter pouco interesse nas relações amorosas mais comuns, as que envolvem a tentativa de fusão e que incluem todos os esquemas de posse e dominação que conhecemos muito bem. Pessoas mais independentes não costumam gostar de nenhum tipo de dependência, de algo que prejudique de modo dramático o exercício permanente da liberdade de expressão de suas opiniões, da liberdade de locomoção, assim como o livre-arbítrio, direito que nos foi atribuído pela divindade. Pessoas mais independentes não estão muito interessadas em qualquer tipo de vício, muito menos no estabelecimento de relacionamentos amorosos nos quais esse ingrediente seja farto.

Pessoas mais independentes e mais conscientes de que a vida é uma aventura individual podem muito bem encontrar companheiros de viagem, criaturas dispostas a caminhar por rotas similares, cada uma indo por si e todas andando bem próximas umas das outras. Assim são as relações de amizade, em que a profunda intimidade e a máxima comunicação entre cérebros que se sabem únicos provocam um calor e um aconchego inigualáveis. As sensações são comparáveis às que acontecem no amor romântico, mas o caráter único das amizades deriva da estabilidade e segurança que as pessoas amigas desenvolvem entre si. Não existe aquele clima de iminência de perda, de constante angústia ligada às eventuais dores de ruptura do elo, o que tão fortemente caracteriza o amor como um sentimento imaturo, fazendo que se viva em permanente espera pela repetição das trágicas vivências infantis relacionadas com o inexorável afastamento das crianças de sua mãe.

Muitas são as pessoas que já entenderam que temos de tentar fazer da vida adulta algo que não seja apenas a repetição das vivências infantis. Esse tipo de saudosismo dos "bons e velhos tempos" não serve para muita coisa nem em psicologia nem em sociologia. É crescente o número daqueles que compreenderam que o chamado amor adulto corresponde a uma tentativa, condenada ao fracasso, de repetir um padrão de intimidade que um dia tivemos com nossa mãe. Visto dessa forma, o amor ganha uma conotação um tanto patética e não espanta que venha acompanhado de tão maus resultados. **Só mesmo uma sociedade que tenha interesse em ser constituída por membros emocionalmente frágeis, dependentes e mais facilmente manipuláveis pode continuar a ver no amor romântico algo rico e enobrecedor.** Só uma visão oportunista das relações entre as pessoas poderá estimular a generosidade das pessoas quando já se sabe que o melhor dessas criaturas é doado às mais egoístas, que, além de não merecerem tais benefícios que lhes chega sem esforço, têm nessa prática um importante reforço para sua inoperância e incompetência pessoal. Da ótica dos resultados e não das intenções, a generosidade assim exercida não é um bem, mas um mal.

Até as pessoas mais independentes gostam muito de ter, dentre os companheiros de viagem, um que seja particularmente íntimo, com o qual estabelecem um relacionamento muito próximo da amizade, mas também caracterizado pela presença de intimidade de natureza erótica. Estabelecem uma parceria e podem decidir jogar o jogo da vida "em dupla". Serão sempre muito amigos, o que vale dizer que se sentirão à vontade para confidenciar até as coisas das quais não se orgulham muito. Não terão medo de ser julgados, uma vez que essa tarefa não é própria dos homens, e sim dos deuses. Saberão um do outro o que é possível saber; terão consciência de que há, em cada mente, um espaço impenetrável que deverá ser respeitado e que não será desvendado nem se essa for a vontade do outro. Isso acaba por determinar uma postura própria das amizades, que se caracteriza pela máxima intimidade e que se exerce de forma muito respeitosa e até um tanto cerimoniosa. A consciência da impossibilidade de uma comunicação absoluta nos leva obrigatoriamente a proceder com certos cuidados, pois, quando conhecemos muito bem o outro, há nele áreas que nos são desconhecidas e que exigem cautela se não desejarmos magoá-lo em hipótese alguma.

Assim, a consciência de nossa individualidade nos leva a agir de modo respeitoso também em relação à

individualidade do outro. A intimidade típica da amizade corresponde a uma grande proximidade sem prejuízo do respeito e do zelo pelo modo de ser do outro. Quando a isso se acoplam o elemento erótico e certo tipo de compromisso — com o objetivo de criar projetos de vida futura para que o jogo em dupla continue —, **estamos diante do que tenho considerado o novo modo de amar, o único que acredito poder sobreviver às tendências individualistas** — que vejo com muita simpatia e otimismo — **próprias desse período de nossa história. A esse modo de amar, que vai muito além do amor romântico, chamo de "mais que amor" ou "+amor". Corresponde à intimidade entre inteiros e não à tentativa de fusão de duas metades. Implica respeito pelo modo de ser de cada um e pela individualidade dos envolvidos.** Equivale ao sentimento que aproxima pessoas que conseguiram ter sucesso na dificílima tarefa de superar os acontecimentos infantis e a pressão para a perpetuação de relações de dependência, ainda majoritárias na sociedade.

O +amor só pode se estabelecer depois de um importante movimento interior que tenha como meta a absoluta negação de todo tipo de dependência como parte de nossa vida íntima. É muito difícil não dependermos de nada e de ninguém; contudo, acho que esse deve ser um de nossos objetivos. Temos de ser particularmente cautelosos com as situações — ou pessoas, ou drogas — que nos provocam momentos de grande prazer, porque em muitos casos nos tornamos tão fascinados por esses momentos que nos esquecemos de perceber a dimensão dos malefícios relacionados com aquele tipo de contexto. **Temos de ser mais rigorosos em nossa contabilidade e nos ater ao fato de que nas situações de vício, e entre elas o amor ocupa uma posição de enorme destaque, o mais comum é que os prazeres cheguem na frente e que a conta — os sofrimentos, as dores e os prejuízos — nos seja entregue só no fim da história.**

SOLIDÃO É BOM

cinco

O PRAZER DE FICAR SÓ FOI DESCOBERTO POR ACASO

Seria muito mais simples e fácil viver se não fôssemos criaturas contraditórias, pressionadas por duas tendências antagônicas e de intensidade igual. Seria mais fácil, mas provavelmente muito menos estimulante e produtivo. Não basta que tenhamos inteligência: temos de ter problemas para resolver com o uso dela. Assim, um ser que está permanentemente fracionado em dois, sendo puxado para duas direções antagônicas, tem problemas quase insolúveis e pode se entreter com sua mente para sempre. Ao longo do caminho, sempre por causa dessa inquietação definitiva, vai conseguindo entender e dominar o mundo físico que o cerca, inventando as ciências da natureza. Quanto ao entendimento de si mesmo, é claro que os problemas são maiores, de modo que, desse ponto de vista, avançamos menos e estamos mais próximos de nossos antepassados. É importante compreendermos que os avanços técnicos e de domínio sobre o hábitat em que vivemos não significaram que, simultaneamente, também estivéssemos avançando na rota de nossa evolução interior, subjetiva. **É perfeitamente possível conceber que fomos capazes de grandes avanços tecnológicos apesar de nossa**

mentalidade e de nossos dilemas ainda serem muito parecidos com os dos antigos gregos e romanos.

Não há dúvida de que o autoconhecimento é uma empreitada muito mais difícil do que o ato de conhecer o meio externo que nos cerca. Não é fácil construirmos idéias gerais sobre os homens, uma vez que apenas a nós mesmos conhecemos "por dentro". Os outros conhecemos "por fora", e não há como termos certeza de que aquilo que podemos observar corresponda à verdade. Uma das propriedades de nossa inteligência é a capacidade de mentir, de tentar transmitir aos outros sinais indicativos de determinado estado de alma, ou situação material e posição social, que não corresponde ao que efetivamente estamos vivenciando. Aprendemos, principalmente por meio do entendimento dos mais egoístas, como esse empenho de se mostrar com boa autoestima pode impressionar tantas pessoas apesar de a farsa ser óbvia. Isso nos sinaliza mais um aspecto do problema: o de que sempre tendemos a perceber com clareza nossas fraquezas e limitações, ao passo que somos ingênuos e benevolentes com o que observamos nas outras pessoas. Essa não é uma causa de nossos sentimentos de inferioridade — que não serão discutidos em detalhe aqui —, e sim uma de suas conseqüências.

Como só podemos conhecer efetivamente a nós mesmos — e ainda assim com limitações, uma vez que também de nós tendemos a esconder algumas peculiaridades de que não gostamos — e não é possível generalizar tomando um caso particular, fica claro que toda

a ciência acerca de nossa subjetividade será um tanto precária, dependente de ousadas imersões em nós mesmos e de uma capacidade incomum para observar os outros com rigor e objetividade máximos. Cometeremos muitos erros e estaremos cheios de dúvidas ao longo de todo o trajeto. Aliás, se as dúvidas se dissiparem, seria bom que nos aposentemos. Sim, porque isso indicará que teremos cumprido nossa missão, que fomos até onde nosso vigor intelectual permitiu. Tal vigor pode, de certo modo, ser medido exatamente por nossa capacidade de suportar dúvidas. O universo interior do homem ainda está tão vazio de conhecimento que qualquer certeza será parcial. Apesar das dificuldades, penso ser fascinante essa caminhada cheia de riscos de erro e incertezas.

É evidente que essa não é a posição de muitas pessoas, mesmo quando bastante inteligentes; elas preferem aderir, de modo radical, a determinadas idéias e doutrinas sobre nossa condição, pois com isso sentem certo alívio dos tormentos derivados das dúvidas, que só crescem ao longo do processo de conhecer a si mesmo e os outros. **Tais pessoas estão, a meu ver, fora do jogo; foram derrubadas porque não souberam errar e recomeçar tantas vezes quantas fossem necessárias; não tiveram a humildade de compreender quão atrasados ainda estamos no domínio de nossa psicologia nem força interior suficiente para conviver com grande quantidade de dúvidas.**

Fiz essas observações para declarar minha intenção de tentar lidar com o tema da solidão de forma livre, sem medo de errar nem de ter de rever minhas posições daqui a algum tempo. Já fiz isso várias vezes ao longo desses mais de trinta anos. Não tenho nenhum constrangimento em reformular pontos de vista; ao contrário, ficarei triste quando não puder mais fazê-lo, pois isso indicará que estarei chegando ao fim de minha caminhada. O psicoterapeuta, quando tem efetivo espírito de pesquisa e boa sensibilidade para captar, ainda que com as devidas ressalvas, o que se passa com os outros, é um observador privilegiado da condição humana; isso principalmente porque pode acompanhar o desenrolar das histórias ao longo de anos, quando não de décadas. Em virtude disso, ganha-se um importante ingrediente para o entendimento da mente humana, qual seja, que tipo de conseqüências e de resultados é possível esperar no futuro quando uma pessoa tem dado modo de ser e de pensar. Trata-se de um laboratório de pesquisas bastante interessante que nos permite estabelecer certos nexos causais, isto é, que atitudes ou maneiras de pensar determinam tantos e tais resultados concretos ao longo dos anos de vida daquela criatura.

Aprendemos a observar como cada um, com suas peculiaridades — detectadas, apesar de todas as limitações, por um observador externo treinado e experiente —, sente os fatos da vida, como se relaciona com as pessoas e como pensa sobre si mesmo e sobre o que o cerca. Podemos notar como uma pessoa age tanto no trato conosco como com os outros e acompanhar o que lhe acontecerá com o passar dos meses em decorrência das alterações que tendem a ocorrer em seu modo de pensar, quanto bem-estar isso determinará e quais os novos dilemas que enfrentará. **Pode não ser um laboratório ideal, uma vez que se trata de seres humanos tentando entender outros seres humanos, o que sempre será difícil. No entanto, consiste na melhor condição possível, e é daí que temos tentado extrair os conceitos gerais de uma psicologia útil e competente para explicar melhor o que está acontecendo com cada um de nós em nossa época.** A melhor e mais importante confirmação de uma tese é aquela que deriva da sensação subjetiva de quem a ouve ou a lê. **Uma hipótese será tanto mais verdadeira quanto mais as pessoas em geral, ao tomarem conhecimento dela, experimentarem a sensação de calor e de bem-estar própria de quem está sendo entendido.** Esse tipo de confirmação de uma hipótese pelo impacto que ela provoca na subjetividade da pessoa que a ouve é uma das peculiaridades da psicologia como ciência; não creio que isso valha para outros campos do conhecimento, mas é de valor indiscutível quando interagimos, especialmente em um contexto psicoterapêutico, com outro ser humano.

O homem, graças à inquietação íntima que deriva tanto de sua tendência dual como da consciência de sua condição cósmica, modificou de forma muito intensa seu hábitat. Isso abre novas perspectivas para seu modo de viver, o que determina imediatas repercussões sobre a vida íntima. Surgem facetas de nossa subjetividade que estavam enterradas, quase como fósseis ao contrário, e que agora podem se expressar. Um exemplo disso é exatamente o da solidão. Sempre existiram pessoas que viveram de forma solitária e, não raramente, por vontade própria. Isso sempre nos causou estranheza, a nós que crescemos há algumas décadas, ainda na era do elogio da vida familiar e grupal. Acontece que as possibilidades objetivas para podermos viver sozinhos têm se tornado muito atraentes de uns poucos anos para cá, de maneira que é crescente o número de pessoas que, sempre por vontade própria, decidem viver sós. **As possibilidades de uma vida interessante e rica nunca foram tão grandes para aqueles que decidiram viver sós.**

Tem aumentado o número de pessoas para as quais a tendência para a individualidade, para uma vida sem muitas concessões, em que a liberdade de decisão e de locomoção se torna muito maior, passa a ser mais forte do que a tendência para a fusão romântica, na qual predomina a busca da sensação de aconchego. Até há pouco tempo, a balança pendia para o prato da vida familiar — em que nem sempre havia a fusão romântica, mas que, de qualquer forma, determinava uma cota suficiente de aconchego —, uma vez que a individualidade, quando constituída, não tinha muitos modos de se exercer. **Penso nas questões práticas e objetivas, pois sempre foram muito poucas as pessoas interessadas em liberdade para pensar, orar e filosofar. Palavras como "liberdade" e "individualidade" têm, hoje, claro sentido prático, implicando também liberdade sexual, que é sempre muito atraente. Provavelmente, no passado, as pes-**

soas não achavam vantajoso ser livres, pois não tinham os meios concretos, práticos, para exercer a liberdade.

Várias coisas têm acontecido de forma sutil e insidiosa nos últimos tempos. Com o aprimoramento dos meios de locomoção e com as mudanças nas relações de trabalho, muitos indivíduos foram compelidos a ficar longe da família por importantes períodos do ano. No início, reclamaram muito, não sabiam o que fazer consigo mesmos — nem o que viajava nem o que ficava. Sentiam-se muito mal, totalmente incapacitados até para dar uma volta ou ir ao cinema sozinhos. Quando eram os homens que viajavam, condição mais comum em nosso meio, eles nem sequer conseguiam ficar quietos no quarto dos hotéis; muitas vezes buscavam os bares ou mesmo a companhia de prostitutas apenas porque não conseguiam ficar sozinhos. As mulheres permaneciam em casa e se sentiam sem direito até de sair com amigas para um lanche rápido; no máximo visitavam os parentes. Devo dizer que, talvez por causa da companhia dos filhos, elas sempre souberam se entreter melhor do que os homens ao ficar sozinhas em casa. Sentiam a casa como um território próprio, de modo que gostavam muito de arrumá-la, estavam sempre empenhadas em aprimorar todos os seus cantos, ocupadíssimas com todos os detalhes.

O que acabou acontecendo, mesmo sem que nos déssemos conta? Fomos nos tornando, aos poucos, mais competentes para o estar só. Homens e mulheres já conseguem ficar em paz quando estão sozinhos tanto em casa como em um quarto de hotel; já são capazes de sair com amigos, sem o cônjuge, para um programa descontraído e ingênuo; já conseguem ficar em casa dedicando longas horas a afazeres solitários, como é o caso do uso do computador; e muitos já são capazes até de vislumbrar a hipótese de que poderia ser atraente viajar sem o parceiro para uma pescaria com os amigos, para uma visita a algum local místico de interesse individual ou mesmo para ficar com "seus botões" por alguns dias.

Aos poucos, e sem percebermos, estamos gostando cada vez mais de ficar sozinhos; isso vale para todos, mesmo para os que vivem acompanhados e que são apegados a grupos familiares por vezes muito grandes. **Não deixamos de gostar de sentir o aconchego e o prazer da companhia de alguém com quem nos sentimos bem e protegidos. No entanto, estamos valorizando cada vez mais os momentos individuais, aqueles nos quais podemos pensar sobre nossos projetos pessoais, ouvir nossas músicas favoritas, ler nossos poemas prediletos etc.** Gostamos muito de passar alguns dias decidindo, sem ter de negociar a que horas nos alimentaremos, apagaremos a luz do quarto para dormir, se ligaremos ou não o ar-condicionado... Tais observações não poderiam estar sendo feitas trinta anos atrás, já que naquele tempo a simples idéia de termos de ficar sozinhos por alguns instantes já nos provocava pânico.

O que isso significa? O ser humano mudou em sua essência? Não creio. Significa que nossa subjetividade ainda é uma caixa de surpresas para nós mesmos.

De repente, de dentro dela surgem peculiaridades insuspeitadas. A verdade é que nossa vontade por individualidade sempre existiu, só que estava escondida atrás da necessidade de aconchego, que pedia companhia e vida em família. Temos de distinguir bem o que quer dizer vida em família e o que representa, para nós, a vida em sociedade. Do ponto de vista psicológico, acredito que sejam condições muito diferentes. **A vida em família é o remédio para nosso desamparo, o que nos dá suporte emocional e atenua nossas fraquezas íntimas. A vida em sociedade é, ao menos na atualidade, o campo de batalha no qual disputamos o pão e as glórias. Se o viver em grupo foi, algum dia, fator de aconchego para o ser humano, não sei afirmar. Hoje não o é.**

A vida em família certamente sempre representou esse tipo de proteção, ao passo que é provável que a vida em grupos de dimensões crescentes tenha acontecido mais do que tudo por imperativos de ordem econômica. A vida em família sempre nos aconchegou e, por isso mesmo, sem que nos apercebêssemos, nos manteve fracos e dependentes. Sim, porque, quando se toma um remédio paliativo, atenuam-se os sintomas, mas a doença prospera. O aconchego derivado do convívio íntimo com certas pessoas, tanto faz se aquelas com quem temos laços de sangue ou se um parceiro romântico que a todos deve substituir, não nos leva ao desenvolvimento da individualidade. Ao contrário, inibe o processo de constituição da identidade pessoal.

Por razões totalmente inesperadas, jamais buscadas e relacionadas com o avanço tecnológico e com as leis da economia, as pessoas foram obrigadas a ficar mais tempo consigo mesmas. E muitas têm gostado! É verdade que, em geral, elas têm ficado concretamente mais tempo sozinhas, mas com uma família ou um parceiro romântico presente em sua imaginação, em sua fantasia. Ficam sós, porém com o coração preenchido por alguém ou por vários membros de seu núcleo. A tendência que tem predominado no interesse das pessoas de nossa época é a de se aconchegarem a um objeto amoroso do tipo romântico, condição na qual todo remédio para o desamparo deve vir de um só indivíduo, o qual se torna muito mais imprescindível do que eram os parentes, uma vez que concentra em si tudo a que se aspira. Ao ficarmos mais tempo longe do amado, temos bem mais medo de perdê-lo, nos tornamos muito ciumentos e vivemos a relação de forma mais emocionante e assustadora. Gostamos de viver perigosamente; gostamos tanto de filmes de suspense e de terror que tendemos a fazer de nossa vida afetiva algo parecido. Ainda assim, o fato é que estamos mais tempo sozinhos com uma qualidade de vida cada vez melhor nessas condições. O aspecto romântico tem sido vivido mais na imaginação do que na vida prática.

O antagonismo, aparentemente inconciliável, entre amor e individualidade parece que vai caminhando na direção da resolução. À medida que nos tornamos mais competentes para ficar com nós mesmos, tendemos a

precisar menos do outro para atenuar a dor do desamparo. Estamos conseguindo suportar melhor essa dor e atenuá-la por nossos meios, que incluem vários tipos de distração individual gerados pelo avanço tecnológico. Nossa individualidade cresceu porque fomos capazes de lidar melhor com a dor do desamparo – e sem que tivéssemos pretendido que isso acontecesse! De fato, tudo não passou de um amontoado de coincidências que geraram como subproduto uma competência maior para ficarmos sozinhos.

A maior parte das pessoas ainda se ressente muito de não ter um parceiro romântico, mas já são muitas as que preferem estar sós a mal acompanhadas. Isso não foi sempre assim. Ainda hoje ouvimos, de pessoas mais idosas, a frase inversa: "Antes mal acompanhado do que só". O sonho romântico continua a existir, mas o grau de exigência da parceria cresceu muito. As pessoas não aceitam mais tão facilmente atitudes repressivas e limitadoras dos direitos individuais, de modo que, no mínimo, estão em curso importantes mudanças nas regras da vida em comum, todas elas determinadas pelo desejo de ampliação dos direitos individuais.

Se o amor vai contra-atacar, se haverá uma recaída romântica que levará as próximas gerações para longe da individualidade e do desejo crescente de horas e dias de solidão, só o tempo dirá. Minha impressão é que o processo que estamos vivendo é irreversível e que a única solução para que o amor e sobretudo a vida compartilhada continuem a existir será atenuar a vertente possessiva e dominadora do ciúme que costuma acompanhar esse sentimento. Sei que não é fácil. Todavia, penso que mais difícil ainda será as pessoas abrirem mão dos prazeres recém-conquistados de serem donas, ainda que por alguns dias, do próprio nariz.

Torna-se cada vez mais claro, para todos nós, que o estar só é muito importante para nosso equilíbrio emocional, uma vez que propicia o encontro com nossa subjetividade — e como isso nos ajuda no caminho do autoconhecimento! **É possível mesmo que muitas das pessoas que, em um primeiro momento, ficaram sozinhas porque tiveram o curso de seus relacionamentos afetivos interrompido contra sua vontade venham a desenvolver tão grande prazer nesse novo estado que dificilmente voltarão a se interessar, de verdade e ao menos por um bom tempo, por novas relações muito íntimas e fundamentalmente repressoras.** Muitas das pessoas que inicialmente se sentiram rejeitadas e abandonadas acabaram por conhecer uma nova dimensão de si mesmas, tiveram acesso a suas forças, até então adormecidas, e experimentaram importante crescimento pessoal. O avanço assim obtido jamais teria acontecido se não ocorresse a ruptura do elo amoroso.

NOSSA CONCEPÇÃO DE SOLIDÃO É PRECONCEITUOSA

Se estar só é tão bom, por que a palavra "solidão" tem conotação tão pesada e negativa? Essa é uma questão de extrema importância, de modo que merece uma reflexão acurada. Não sei como esse estado era vivenciado nos séculos passados. Sei apenas que até poucas décadas atrás as pessoas tinham pavor da idéia de ficarem sós. É provável que isso tenha sido diferente há mais tempo, pois o amor romântico deve ter feito crescer muito o medo da solidão; diferentemente do que acontecia antes, passamos a depender emocionalmente, de forma quase exclusiva, de uma só pessoa. Antes éramos dependentes de um grupo de indivíduos, do clã familiar, e éramos mais íntimos dos outros membros da comunidade em que vivíamos — como ainda acontece nas pequenas cidades do interior. Acredito que o crescimento urbano, que transformou seus habitantes em anônimos e cada vez mais em rivais, deva ter contribuído muito para essa necessidade imperiosa de nos sentirmos aconchegados por meio do elo, ainda que precário, com dada pessoa.

De todo modo, um aspecto imprescindível que deve ser registrado enfaticamente é que o pavor da solidão é máximo nas pessoas que nunca viveram longo tempo pelos próprios meios, ou seja, teme-se o que se desconhece ou aquilo que não se conhece por completo. **É possível que sejamos muito influenciados pelo que ouvimos, pelo discurso oficial de determinada época. Assim, como até há pouco — pois hoje o discurso e a sensação das pessoas estão mudando — a solidão era tida como um dos piores males, o simples ato de pronunciar a palavra já induzia a dolorosa sensação de desesperado abandono.** Para a geração de nossos avós, "solidão" era palavra de conotação tão pesada quanto "sífilis", "lepra" ou "tuberculose". É curioso observar que todas as pragas daquela geração já foram debeladas, e é provável que a solidão, como fonte de pânico e de preconceitos, terá o mesmo destino dos males que tais palavras descreviam.

As pessoas sempre temeram a solidão antes mesmo de experimentá-la, de modo que a simples aproximação de algo que se define por essa palavra já causa, como um reflexo condicionado, pânico, que é determinado porque o termo evoca a idéia de que se está diante de uma zona de perigo, de algo ameaçador. Por exemplo, quando uma pessoa que está sozinha se reconhece perdida no meio de ruas que não lhe são familiares, ela imediatamente se sente abandonada e experimenta uma sensação ruim, a qual seria menos aflitiva se ela estivesse acompanhada — continuaria perdida, mas não se sentiria tão abandonada. Experiências desse tipo, assim como as muitas lembranças infantis similares e desagradáveis que todos guardamos, nos dão o reforço que necessitávamos para termos a confirmação íntima de que nós também sentimos muito medo das situações que são descritas pela palavra "solidão" e que nosso medo é fundamentado e justo.

Em uma comparação grosseira, podemos dizer que a pessoa põe a ponta dos dedos no mar da solidão, sente um enorme frio e conclui que não deve nem mesmo chegar perto dele. **A condenação da solidão e sua definitiva associação à condição pavorosa se fazem por meio de um experimento mínimo e superficial. A partir daí a pessoa fará de tudo para evitar qualquer tipo de novo experimento ou convívio com qualquer condição**

que possa provocar sensação parecida com aquela. Pensará que formou um juízo consistente contrário à solidão por conta de uma efetiva experiência pessoal. Como não mais terá coragem para mergulhar, de verdade, no mar da solidão, só mudará de idéia quanto ao assunto se alguma fatalidade da vida a "empurrar" para dentro desse local tão temido.

Poderíamos dizer que a palavra "solidão" é usada para descrever o sentimento correspondente ao que vivenciamos quando deixamos de ter certo tipo de proteção e aconchego. Tal sensação deriva, para a maior parte de nós, apenas do que vivenciamos durante uma transição, do que sentimos durante a ruptura de algum elo que nos atenuava a dor do desamparo. Portanto, a solidão fica fortemente associada ao ressurgimento dessa dolorosa sensação. Parece mesmo que ela é sinônimo de dor do desamparo, do desespero advindo dessa situação. Daí o pavor que tanta gente desenvolveu até da palavra.

Sempre é bom repetir que a dor do desamparo é algo que nos caracteriza, que existe desde o momento do nascimento, primeira e principal ruptura de nosso elo fundamental. Tudo que se segue é mera repetição. Acredito que seja totalmente inadequado associarmos o termo "solidão" ao que acontece na transição de um estado de aconchego para o de nos vermos sozinhos, entregues a nossos meios. O engano seria equivalente ao que costumamos cometer quando confundimos o processo do enamoramento com o do amor. **Tudo que corresponde**

a uma transição é vivido com grande intensidade, tanto o que é positivo como negativo. O enamoramento corresponde ao inverso do uso que se costuma fazer da palavra "solidão": é a agradável surpresa que nos embala quando percebemos a presença de alguém que agora nos fará sentir aconchegados. A solidão — como se costuma usar a palavra, insisto, e não como acho que deveríamos usá-la — **corresponderia à dolorosa surpresa que nos assola ao percebermos que não temos mais ninguém para nos proteger e aconchegar.**

Assim, "solidão" é palavra associada a um estado emocional de desespero, o que corresponde a uma dor aguda que caracteriza mesmo a dor de ruptura de um elo afetivo importante e que ajudava a amenizar o desamparo que nos é próprio. **O surgimento da sensação de abandono não deve sequer ser atribuído à perda afetiva; esta apenas a atenuava e agora deixa de fazê-lo, criando a condição propícia para o reaparecimento da antiga e eterna dor.** Toda essa seqüência de repetições tem por objetivo deixar bem claro meu ponto de vista de que a solidão não tem nada que ver com o surgimento do desamparo nem do desespero que, por vezes, o acompanha. Se vivíamos uma aliança afetiva que o atenuava, se seu rompimento nos remete para o estado de solidão e se, em seu estágio inicial, a dor do desamparo reaparece, fica fácil associarmos solidão a desamparo.

A solidão não corresponde a esse estado agudo e doloroso. Ela se inicia a partir daí e só esse estágio inicial está associado à dramática sensação de desamparo. É depois de certo tempo, quando a transição se completa, que podemos observar melhor o que caracteriza o estar só. De fato, implica uma vivência mais nítida do desamparo e da insignificância que nos caracteriza; **vivenciamos nossas dores e aprendemos a suportá-las melhor por nossos meios, uma vez que não estamos mais usando o recurso do envolvimento amoroso com o objetivo de afastar de nossa consciência a verdade. Solidão é estar só, é não estar compartilhando a vida com ninguém; não é viver isolado, sem pessoas ao redor; é ter projetos individuais e não considerar os relacionamentos interpessoais a tábua de salvação.** É governar-se pela idéia de que são limitadas as possibilidades de receber ajuda de outras pessoas. Elas passam a existir apenas como eventual fonte de prazer e de entretenimento. **Solidão é a condição de indivíduo levada às últimas conseqüências.**

Por mais paradoxal que possa parecer à primeira vista, fica cada vez mais claro para mim que nossa identidade, aquilo que poderíamos chamar de "eu" no pleno sentido da palavra, só se forma mesmo por meio de uma substancial experiência de estar só. É, pois, a última e não a primeira instância a se formar de verdade dentro de nós. Nossos primeiros pontos de vista, nossas primeiras vontades, aquelas que detectamos em cada criancinha a partir do efetivo uso da mente, não são outra coisa senão o embrião desse eu, que para muitos talvez jamais se forme inteiramente. Sim, porque nos tornamos indivíduos apenas quando ganhamos condições para construir, de modo mais ou menos livre, nosso destino, quando deixamos de ser facilmente manipulados pelas pessoas que nos cercam, o que acontece inexoravelmente quando dependemos de todas elas. Ao nos constituirmos como indivíduos, talvez estejamos mesmo ganhando algo no sentido inverso: poderemos tentar, de modo mais ativo e livre, interferir sobre tudo e todos os que nos cercam.

A dor relacionada com a falta de proteção, de não termos alguém para nos cuidar, vai, com o passar do tempo, se atenuando. Muitas são as pessoas nas quais surge uma reversão do processo, ou seja, passam a gostar muito mais de ficar consigo mesmas do que de estar permanentemente acompanhadas. Não costumam deixar de ter pretensões sentimentais; desejam encontrar um parceiro. No entanto, o objetivo da parceria se altera muito, de tal sorte que o que se pretende é muito mais alguém para compartilhar os momentos alegres e de lazer do que alguém com quem se queira dividir os problemas e as questões cotidianas.

Repetindo mais uma vez e sintetizando, **solidão é a plena aceitação de nossa individuação. Não é, portanto, a dor da ruptura, a raiva relacionada com o fato de a pessoa ter sido abandonada ou trocada por outro parceiro; não tem nada que ver com a humilhação que isso impõe nem mesmo com as lembranças infantis de desproteção e desesperado desamparo.** Tudo isso corresponde a um estado agudo de dor que pode estar vinculado ao início do estar sozinho, quando este decorreu da perda de um elo afetivo. **Solidão é consciência de**

que se é inteiro e de que cada um terá de encontrar seus meios para atenuar as dores da vida e aprender a conviver com elas. De repente, ela pode ser vista como coisa muito boa!

SER SÓ AINDA É MOTIVO DE VERGONHA

Um aspecto que me parece interessante discutir à parte é o que diz respeito ao fato de que, em uma sociedade como a nossa, ainda existe em muitas pessoas uma forte sensação de vergonha por estarem sozinhas. Mudanças radicais estão em curso, mas ainda me lembro muito bem de minha tia "solteirona" malvista e objeto de ironias apenas porque não tinha se casado. Remeto-me aos anos 1950, a fatos que ocorreram quando eu era criança e adolescente. A forma como as pessoas, mesmo as mais cultas e esclarecidas, se referiam a ela — e a todas as mulheres que eram solteiras — tinha uma pitada de reprovação moral e dúvidas acerca de seu temperamento e caráter; viam-na como uma coitada, como se o destino não a tivesse favorecido. Minha tia, dizia-se, era amante de seu chefe, tinha um gênio muito difícil e, pobrezinha, não possuía beleza e charme suficientes para atrair bons pretendentes. O curioso é que eu não via nada disso: não era mais feia do que minha mãe ou minha outra tia casada, não parecia ter gênio pior do que o da minha mãe, tampouco, ao menos de meu ponto de vista ingênuo, ser devassa.

Outra característica de nossa cultura, que só agora dá alguns sinais de modificação, consistia em certa

impaciência e pressa que as famílias manifestavam para que suas filhas se comprometessem e se casassem o mais cedo possível. Parece até que o discurso que se fazia acerca das "solteironas" tinha por fim assustar as moças menos apressadas. Tudo levava a crer que deveriam andar rápido se quisessem ter um futuro interessante; caso contrário, passariam o resto da vida sendo objeto de ironias e maledicências, além de estarem condenadas a não ter filhos, não ter ninguém para cuidar delas na velhice nem marido para sustentá-las.

Fico tentando pensar com a mente própria daquela época. É fato que mesmo os melhores espíritos estavam convencidos da inferioridade física e intelectual das mulheres. O que de melhor poderia acontecer para uma moça era, pois, "conseguir" um bom marido, que comandaria sua vida e lhe proporcionaria o conforto e a dignidade que, por si, não poderia ter. As pessoas não conseguiam, de verdade, imaginar um futuro feliz para uma mulher que não se acoplasse a um homem. A questão sexual também devia ser muito relevante, pois se via com péssimos olhos o sexo fora do compromisso matrimonial — isso tanto por preconceito como por causa do temor de gestação. Para a mãe solteira, então, o destino previsto era o da prostituição, pavor de todas as moças e de suas famílias.

A conclusão é que, notadamente do ponto de vista das mulheres, não se conseguia vislumbrar uma boa vida, a não ser para aquelas que se casassem. É curioso observar que naquelas décadas o discurso dos pais já tinha conteúdo romântico, ligado às delícias do amor e ao fato de esse sentimento ser importante na escolha do par; mas ainda estava muito misturado com os argumentos de ordem prática, como os que tenho descrito. É que, de fato, vivia-se a transição entre o casamento por interesse e conveniência recíproca — sua razão de ser e de se perpetuar — e o casamento por amor, reconhecido, na época, como o ingrediente que deveria determinar a escolha do par. A trágica descrição que se fazia das pessoas solteiras pouco dizia acerca dos dramas da solidão e do vazio de uma vida sem filhos e sem o aconchego amoroso. Ressaltavam-se os aspectos práticos da vida de solteiro e não as dores emocionais relativas a ela.

A sociedade desencorajava, assim, aquelas pessoas mais aventureiras e sem grande vocação para o matrimônio e para uma vida semelhante à de todos. Havia forte pressão para que todos vivessem de forma igual. Não existia espaço para figuras originais nem a menor preocupação com as peculiaridades de cada um: todos deveriam se adequar a um mesmo molde. Por certo, não vejo as sociedades nem a história como deuses que a todos tentam impor seus desígnios. Entretanto, gostaria de afirmar que, do ponto de vista das elites, daquela minoria que sempre existiu e sempre se beneficiou do trabalho da maioria, a idéia de um estilo de vida único, em que aquele que não está de acordo com o padrão oficial é ironizado e tratado como "leproso", aparece como muito interessante e pode muito bem ter sido estimulada. O acovardamento da maioria das pessoas as leva a uma postura de submissão e docilidade. **A defesa dos vínculos familiares e dos aspectos práticos desse núcleo pode ter se originado de boas razões concretas, mas também esteve a serviço da perpetuação da dependência emocional das pessoas, condição na qual elas aderem rápida e facilmente ao estilo de vida de dada sociedade. Sabemos que nada torna mais conservador um jovem irreverente do que o casamento e o nascimento de seus filhos.**

Quero me referir um pouco ao tema da vergonha propriamente dita, pois creio que se trata de importante instrumento de coerção social. Minha tia e outras pessoas solteiras provavelmente sentiam-se envergonhadas perante os outros, diminuídas e ridicularizadas. Envergonhavam-se de freqüentar certos lugares pelo fato de estarem sozinhas. Por fim, acabaram se acostumando a ir ao cinema ou ao teatro sem companhia, mas todos sabem que isso não é fácil, pois até hoje sentimos que todos estão nos olhando e pensando: "Coitado, está sozinho porque ninguém quis sair com ele..." É bom dizer que os homens solteiros também se sentiam muito mal, uma vez que sobre eles passava a pesar, a partir dos 30 anos, a suspeita de homossexualidade. Assim, a pressão social para que se casassem não era tão intensa no início da vida adulta, porém se tornava forte a partir de certa idade. **Até os 29 anos, o rapaz solteiro era boêmio, mulherengo e não queria saber de responsabilidade; aos 30, "tornava-se" homossexual!**

Seguramente, a pressão social era intensa sobre os homens, pois eles tinham de desejar o casamento como

caminho para sua realização afetiva e social. As mães sempre mimaram bastante seus filhos, ao menos do ponto de vista prático, e lhes sugeriam uma esposa que desse continuidade ao serviço delas. E para quem saísse da rota? O escárnio, a ridicularização capaz de provocar o rubor próprio da vergonha era a resposta. **A vergonha corresponde a um freio, a um interessante limitador de nossa autonomia e liberdade, a algo que fica entre o medo e a culpa. É um limitante externo, porém mais sofisticado do que o medo. A culpa nos limita de dentro, pois dada atitude é inibida porque nos entristeceríamos com sua eventual conseqüência negativa sobre outras pessoas;** sempre é bom lembrar que é grave o erro de pensarmos que sentimos culpa apenas porque ela existe e é forte em nós.

A vergonha equivale a uma resposta peculiar, mesmo do organismo, quando nos reconhecemos como objeto do deboche, da ironia e da crítica voltada para um tipo de humor que nos diminui. O processo nos acompanha ao longo de toda a vida, mas é mais proeminente durante a adolescência e o início da vida adulta, em que o rubor típico aparece sempre que a pessoa se vê em uma situação social constrangedora. A vergonha poderá decorrer de qualquer tipo de crítica, especialmente daquelas que não esperávamos e das que nos rebaixam perante nossos pares. Essa é a principal razão pela qual os rapazes detestam ser criticados pelos pais na presença de seus amigos. Não se trata de um fenômeno muito diferente do medo, mas sim de forma mais elaborada de represália por condutas tidas pelos outros como inadequadas e impróprias. As pessoas temem passar vergonha, pois tal situação pode doer muito mais do que várias chicotadas.

A vergonha corresponde a um freio muito forte, porque a dor que a ironia nos impõe é intensa: trata-se de uma represália que se caracteriza por ofensa a nossa vaidade, de uma grande e complicada humilhação, contra a qual não podemos reagir, uma vez que tudo se passa como se estivéssemos sendo objeto de uma simples brincadeira. E, se tentarmos reagir, as brincadeiras tendem a se amplificar, de modo que a humilhação será ainda maior. Quando estamos sendo coagidos por causa do medo da dor física, podemos reagir e inverter a situação, passando de vítimas a agressores. No caso da vergonha, isso é impossível, pois quase sempre a situação é grupal e as agressões são disfarçadas sob a forma de gracejos de gosto duvidoso. O exemplo típico das primeiras manifestações desse tipo acontece na sala de aula, quando uma criança responde incorretamente a alguma questão e o professor e os colegas passam a ridicularizá-la por causa disso; as brincadeiras que a deixaram enrubescida costumam continuar de modo ainda mais intenso na hora do recreio.

É importante registrar essa peculiaridade da vergonha, uma vez que nesse caso somos humilhados sempre, ou quase sempre, por um grupo de pessoas, o qual parece ser o representante fiel da sociedade em que vivemos. Por essa via, entre outras, todos somos juízes das demais pessoas, ao mesmo tempo que so-

mos por elas julgados. Estabelece-se um sistema repressivo, interno e automático, em dada estrutura social, de maneira que é muito difícil ser diferente dos demais. Tudo é montado para a homogeneização do modo de ser, agir e mesmo pensar — exceção feita aos devaneios, que não costumamos contar a ninguém. Essa estrutura também tem forte tendência estática, isto é, conservadora, contrária a qualquer inovação. Sim, porque qualquer pequena alteração, até no modo de cortar os cabelos, já poderá desencadear as reações irônicas típicas da coerção social, que nos fazem ter medo de passar pela dor da vergonha.

O que quase sempre acontece é que uma pessoa fique sozinha, ao menos em uma primeira fase, por causa de alguma decepção ou perda amorosa. Poucos são os que optam por esse estilo de vida de modo espontâneo, mesmo em virtude da pressão social na direção contrária — que ainda hoje é a mais forte. Dessa forma, os primeiros movimentos sociais de alguém que está só, e que terá de se apresentar perante o grupo nessa condição, não podem deixar de conter forte dose de vergonha. **É curioso observar que muitas são as pessoas que, nos dias que correm, se sentem envergonhadas mesmo quando não estão sendo objeto de nenhum tipo de comentário, ou seja, com a vergonha passa a ocorrer o mesmo que com a culpa: o processo repressivo externo se torna interno.** Incorporaram as regras sociais de tal forma que acreditam ter condições de antecipar o comportamento dos outros. Isso pode ser fonte de graves equívocos, especialmente em uma época como a nossa, caracterizada por rápidas mudanças. Ainda hoje, é possível que uma pessoa que sinta profunda vergonha por estar desacompanhada apareça perante seu grupo de amigos governada por essa sensação, esperando algum tipo de reprovação; **ela poderá se surpreender ao perceber que muitos de seus supostos críticos, que estão vivendo de acordo com o padrão majoritário, estão mesmo é sentindo inveja de sua nova condição de criatura livre e descompromissada.** É difícil saber se posicionar em tempos de mudança.

Da ótica dos valores que foram elaborados e sustentados pelas gerações que nos antecederam, ser sozinho era condição social inferior à de ser casado. Já esbocei as prováveis razões desse tipo de julgamento, cujo propósito era "empurrar" as pessoas para o casamento; **talvez o mais apropriado seria dizer que o objetivo era "empurrar" os homens para uma aliança que interessava mais às mulheres do que a eles.** Os tempos mudaram completamente nesse aspecto. O surgimento da pílula anticoncepcional e a crescente possibilidade de as mulheres terem acesso a todos os tipos de trabalho as libertaram — e também aos homens — desse imperativo matrimonial. Tenho a impressão de que, em virtude de nossa tendência à lenta modificação interna mesmo depois que a realidade externa já se alterou, as pessoas ainda não atualizaram a maneira como vêem as coisas. **Nada é mais deprimente nem se compara à condição de inferioridade própria das pessoas que estão infeli-**

zes com seu casamento e não se sentem com forças para rompê-lo. Aqui, sim, poderíamos falar de uma condição na qual a pessoa tem mesmo bons motivos para se entristecer: estar ao lado de alguém a quem não atribui os predicados que gostaria que tivesse e não se ver com forças para enfrentar o desafio de ficar sozinho é muito doloroso.

Se, no passado, a condição social de inferioridade era própria das pessoas solitárias, hoje passa a se sentir fraco e inferior aquele que não consegue ficar sozinho. Isso é válido para os que não ficam sozinhos nem mesmo uma parte de seu tempo e para os que, por medo da solidão, suportam condições adversas de relacionamento, nas quais se sentem humilhados e maltratados. Quem não for capaz de viajar e ficar alguns dias sozinho, quer por receio das situações concretas, quer por temor do convívio consigo mesmo, quer por medo de gostar tanto e resolver mudar de vida, é que está em uma condição constrangedora. Nossa realidade externa tem mudado muito depressa. A realidade interna evolui de forma mais lenta, mas acaba tendo de acompanhar essas mudanças, pois temos de estar ajustados ao ambiente em que vivemos. **Solidão era motivo de vergonha e deixou de sê-lo. Parece que as últimas pessoas a saber disso são exatamente as que ficaram sozinhas contra sua expectativa e contra sua vontade. Os que já estão conciliados com essa nova condição sentem, ao contrário, um orgulho crescente de si mesmos.**

A SOLIDÃO É UMA DE NOSSAS CARACTERÍSTICAS DEFINITIVAS

Vamos refletir por alguns instantes sobre uma daquelas verdades que sabemos ser inquestionáveis, mas que tratamos de, mais que depressa, fazer de conta que não existem. Elas são muitas, porém uma das que mais tentamos esquecer é nossa insignificância cósmica. **Sabemos que, do ponto de vista do universo, valemos algo muito próximo de zero e que tudo que viermos a ser e a fazer será totalmente irrelevante. Sabemos também que não conseguimos viver segundo essa verdade, apesar de ser óbvia. Nosso valor absoluto é próximo de zero e gastamos nossa vida tentando melhorar nosso valor relativo, aquele que se estabelece por comparação com nossos pares.** Continuaremos, talvez, a pensar assim por muito tempo, uma vez que, do modo como hoje somos constituídos intimamente, ficaríamos total e definitivamente desmotivados se levássemos a sério nossa insignificância. Contudo, creio que não deveríamos deixar de pensar sobre esse tema, ainda que só de vez em quando e como se ele não estivesse relacionado tão diretamente conosco. Ele nos dará a referência de que precisamos para não nos amofinarmos demais com as pequenas mazelas do cotidiano.

O mesmo vale para a questão da solidão. Deixando de lado todos os nossos anseios, a verdade é que nossa mente é única. **Isso significa que todo empenho de comunicação entre duas mentes esbarrará com obstáculos intransponíveis. Não é assim que sentimos, pois**

temos a impressão de que estamos nos comunicando uns com os outros o tempo todo. A impressão é falsa e deriva apenas de usarmos os mesmos símbolos — as palavras, ordenadas de uma mesma forma e regidas pela gramática de cada língua. O cérebro é geneticamente diferente, a não ser no raro caso de gêmeos idênticos, e nossas experiências de vida também o são; a forma como registramos e decodificamos tais experiências são absolutamente pessoais, não são sequer influenciadas de forma direta pela família que tivemos ou pelo meio social em que crescemos. **Mesmo que as famílias queiram influenciar ao máximo seus descendentes, cada criança conclui de modo próprio sobre os fatos que observa e sobre tudo que lhe ocorre.** Suas conclusões, algumas equivocadas, determinarão suas futuras ações e influirão em seus pensamentos subseqüentes.

Somos seres únicos e deveríamos nos orgulhar disso — já disse que negamos justamente esse que é o único motivo para o exercício de nossa vaidade. Porém, ao contrário, nos sentimos profundamente abandonados em virtude dessa verdade, que, em certo sentido, nos faz menos insignificantes por sermos únicos. **Acontece que, para sermos significantes, temos de nos saber definitiva e radicalmente solitários, condição que nos remete a uma outra que suportamos mal, que é a que diz respeito à dor derivada do desamparo. Podemos escolher entre sermos mais significantes e desamparados ou mais insignificantes e aconchegados! É evidente que usaremos toda a nossa inteligência para nos sen-**

tirmos significantes – e, se possível, até poderosos e importantes – e parte de um todo familiar e social e, dessa forma, aconchegados. Sabemos quanto custam esses equívocos e como vamos nos enredando cada vez mais em nossos erros, sempre com o objetivo de nos safarmos das dores primárias.

Somos solitários porque nossa mente, única, não se comunica com perfeição com nenhuma outra. Essa condição de isolamento, permanente e definitiva, é a principal causa da persistência da sensação de desamparo também na fase adulta. Ou seja, quando resolvemos nossas mazelas infantis, elas são substituídas por outras maiores e mais definitivas. Assim como fazemos com a insignificância, tratamos de não conviver com tal verdade, ou pelo menos de não nos lembrar dela, o tempo todo. O que fazemos? Sentimo-nos integrados a "nosso" povo, vibramos com "nosso" time esportivo, nos emocionamos com "nosso" hino, nos apaixonamos por "nosso" parceiro, adoramos "nossos" filhos etc. Fazemos qualquer tipo de manobra psíquica para nos sentirmos aconchegados. **Sentir-se aconchegado não significa estar efetivamente aconchegado. Assim, quando nos exilamos, quando nossos filhos crescem e vão embora, quando rompemos um elo matrimonial, passamos a sentir a solidão que já existia e estava camuflada pela impressão de aconchego derivada do fato de estarmos em nossa pátria ou da presença daquelas pessoas.**

Sabemos a dimensão do sofrimento experimentado durante a transição entre a impressão de companhia e a confirmação da efetiva solidão. Vivemos essa transição como um estado de pânico similar ao que ocorre com as crianças quando se sentem abandonadas, ainda que por alguns instantes. Ao nos reconhecermos sozinhos, parece que nos lembramos dessa verdade que tratamos sempre de esquecer: a de que a solidão é uma de nossas características existenciais. O fenômeno é semelhante ao que acontece quando, doentes, nos lembramos de que somos mortais – apenas nos lembramos, posto que já o éramos antes de estarmos atentos ao fato.

Ao assumirmos, de uma vez por todas, nossa condição de criaturas solitárias, pode acontecer que tendamos a um estado depressivo próprio do que sentimos quando percebemos que estávamos iludidos quanto a uma pessoa ou a uma ideologia. Sim, porque, diferentemente do que ocorre com o caráter mortal de nossa condição — e mesmo com nossa insignificância —, muitas são as pessoas que só se reconhecem solitárias quando algo de dramático as faz sozinhas de fato. **Vivemos mergulhados em uma sociedade que louva a vida em grupo, que nos diz que somos essencialmente gregários, que nos incentiva a nos comunicarmos, que fala de solidariedade, empatia, amor ao próximo etc.** Crescemos achando não só que não somos solitários como que as eventuais dificuldades de integração que sentimos são parte de nossos conflitos emocionais, que terão de ser resolvidos o mais rapidamente possível.

Diferentemente das outras verdades das quais nos escondemos de modo deliberado, parece que é since-

ra nossa crença de que não somos "aves" solitárias. É dolorosa e surpreendente a constatação de que nossas palavras não chegam aos ouvidos dos interlocutores com o sentido exato com que as pronunciamos, de que somos mal interpretados o tempo todo, de que as pessoas nos julgam pelo lado de fora segundo critérios diferentes daqueles que usamos "da carne para dentro", de que nossos critérios para avaliá-las também não coincidem com os que elas utilizam para se entender e se julgar. Existem equívocos derivados da precária comunicação, do emprego de palavras iguais com significados diferentes, além de diferenças no modo como cada pessoa pondera sobre os mais diversos assuntos, mesmo no juízo moral que elas fazem tanto de si próprias como das outras. Só um grande amontoado de coincidências poderá nos aproximar de criaturas que pensam e sentem de forma ao menos similar à nossa. Tais condições existem e devem bastar para que o pessimismo e a depressão não tomem conta definitivamente de nós.

A consciência de nossa condição de solitários altera, sempre de maneira positiva, até o modo como analisamos a presença das pessoas perto de nós. **Podemos perfeitamente buscar alianças amorosas e elos de amizade, mas não pensar que essas pessoas resolverão de modo definitivo qualquer tipo de problema relativo a nossa existência. Esse engano, que todos fomos induzidos a cometer, felizmente tende a não acontecer mais.** Jamais deveríamos abrir mão da tarefa de cuidar pessoalmente de nossos interesses maiores. É impossível que venhamos a nos sentir fortes porque temos por perto alguém que nos protege. Chega de crenças desse tipo, que só nos têm trazido infelicidade e decepções.

Temos de assumir, de modo definitivo, a condição de seres solitários, estejamos ou não acompanhados. Existem os dois estados, e é claro que é mais agradável viver ao lado de alguém com quem temos afinidade suficiente para que possamos ter a impressão de não estarmos sós. Além disso, o amor, por meio de seu componente bem imaturo e infantil, nos faz sentir prazer no aconchego físico, este, sim, totalmente independente das afinidades mentais. Não recomendo que se pague o preço que se costuma pagar por esse "colinho" tardio. **Agora, se pudermos ter o "colinho" de graça e ainda por cima conviver com alguém efetivamente parecido conosco e interessante, é evidente que será melhor do que estar concretamente só.** Ainda assim, não devemos nos esquecer de que a solidão é o que nos caracteriza e que tudo que nos alivia essa carga é uma boa coisa — desde que não tenha preço alto nem determine um vício —, mas que pode acabar, de modo que não podemos nos fiar demais nessa boa condição e deixar de cuidar do que é nosso.

Minha convicção é que essa postura da pessoa de assumir, em caráter definitivo, a condição de solidão e não acreditar que a fusão romântica seja mais do que uma idéia — e, quando um fato, não seja mais que um paliativo para a dor do desamparo — é extremamente benéfica para o pleno exercício da sensualidade e para um feliz encontro com a própria sexualidade. **Acredito que essa postura de se reconhecer definitivamente como um inteiro e de não pretender encontrar a "metade" perdida, própria de quem sabe de suas fraquezas e não se empenha em escondê-las das outras pessoas, seja um dos importantes elementos daquilo que costumamos chamar de *sex appeal*, aquele forte ingrediente de erotismo que se irradia em todas as direções. Tudo que a pessoa perde em ilusões acerca da fusão romântica talvez ganhe em fatos relacionados com os sentimentos sensuais e com os prazeres relativos à prática sexual propriamente dita.**

Os exemplos talvez ajudem a esclarecer melhor. Parece que admiramos a ousadia das pessoas que vivem de forma menos convencional; possivelmente, o que mais nos encanta é exatamente o esforço que fazem para ser — ou, ao menos, ser vistas como — únicas. Admiramos tais criaturas mais extravagantes mesmo quando somos aqueles que tanto criticam todos os que não são como nós; por vezes, invejamos a coragem delas, de modo que muitas críticas estão mesmo é a serviço desse sentimento. Pessoas que não têm medo de mostrar suas fraquezas e imperfeições, que se mostram desamparadas e frágeis, estão entre aquelas que mais despertam o entusiasmo erótico das pessoas. Isso é válido para ambos os sexos. É provável que a atração que tantos homens têm por prostitutas contenha um importante ingrediente desse tipo, uma vez que elas se colocam — além de serem tratadas — como marginais, como desqualificadas e desprovidas de qualquer posição social. Elas são vistas como a escória da espécie, mas são visitadas regularmente. Os homossexuais masculinos sempre se sentiram profundamente atraídos por situações em que não exista qualquer tipo de disfarce para nossa condição solitária e mamífera, em que ninguém é de ninguém e ninguém é nada. O clima erótico que se forma em pontos de encontro desse tipo é, para eles, irresistível.

Em cada época assistimos ao surgimento de determinados estilos de ser e de se vestir que nos encantam pelo lado sensual neles contidos; o que está em voga na atualidade é chamado de "decadente chique", no qual as modelos, muito elegantes, têm a aparência de quem saiu de um clube noturno depois de orgias envolvendo boa quantidade de drogas. A atmosfera lembra o que esbocei a propósito das prostitutas. Esse clima em que o *status* social se torna confuso, em que os melhores e os piores se mesclam e não se sabe quem é quem, em que não existe nem se procura perfeição, em que todo mundo é só e desamparado é, sem dúvida, muito atraente para um enorme número de pessoas de ambos os sexos. Esse tipo de mulher e essa atmosfera costumam ser muito mais interessantes sexualmente do que os contextos mais "certinhos", nos quais o entusiasmo, se existir, será de natureza sentimental.

Muitas mulheres são mais facilmente atraídas, do ponto de vista estritamente sexual, por homens sem qualidades e incompetentes para o amor do que pelos que são "bons meninos". Estes, talvez por sempre estarem prontos para mostrar como são fortes, seguros e competentes, mobilizam outros sentimentos. Ainda que não seja essa sua intenção, estão priorizando tudo que é tido como virtude e que, é claro, não inclui o sexo. **O "cafajeste", aquele um tanto folgado, sempre bem-humorado e descompromissado, irreverente e vulgar, que não esconde suas fraquezas, este, sim, costuma interessar sexualmente as mulheres. Falo apenas desse ponto de vista, porque, na escolha de parceria, a maior parte das mulheres costuma levar em conta ingredientes amorosos que, como regra, correspondem a fatores de encantamento antagônicos aos que descrevi para o sexo.**

Não deixa de ser curiosa essa peculiaridade dos humanos de se sentirem profundamente atraídos por uma atmosfera na qual reinem a verdade, a simplicidade e o que em nós é claramente mamífero. Isso porque fazemos um enorme esforço para nos esquecermos de nossa origem animal, assim como uma pessoa de família simples que ficou rica vive tentando "inventar" uma origem nobre para si. **É fascinante percebermos que um dos ingredientes que nos tornam mais atraentes é conseguirmos nos colocar socialmente de forma parecida com o que sentimos por dentro.** Ou seja, fazemos sucesso aos olhos dos outros justamente quando não temos pudor algum em mostrar nossas fraquezas; nossas virtudes os espantam e nossas fraquezas os atraem, talvez por deixá-los mais confortáveis conosco pelo fato de serem portadores de fraquezas semelhantes. Empenhamo-nos muito em nos mostrar fortes, seguros, bem-sucedidos e amados por todos, e o que mais encanta as pessoas é termos o desplante de nos mostrar inseguros, cheios de problemas — desde que não os coloquemos acima delas — e nem sempre tão amados.

A solidão está deixando de ser considerada um estado vergonhoso e se transformando em uma condição aceitável, tratada como boa, e mesmo ótima, segundo algumas pessoas. Corresponde, conforme os critérios de valor de hoje, a uma situação subjetiva de força, mas ainda vista pela maior parte das pessoas, do aspecto prático, com certa desconfiança e medo. Penso que os solitários jamais deveriam se colocar socialmente como superiores, como os que atingiram um estágio mais elevado de vida íntima, pois repetiriam o preconceito antigo, só que agora de cabeça para baixo. Além do mais, perderiam a oportunidade de exercer todo o erotismo associado à falta de pudor de mostrar limitações e fraquezas. **Não é vergonha ser só, mas também não é motivo de orgulho. Trata-se apenas de uma verdade definitiva de nossa condição.** Existem pessoas sozinhas que têm namorado, as que têm, além do namorado, um ou dois amigos, as que têm amigos e não namorado e as que não têm nenhum desses relacionamentos efetivamente íntimos, nos quais parece que conseguimos nos comunicar melhor. As que agora não têm namorado ou amigos poderão vir a tê-los, enquanto as que os têm poderão vir a perdê-los. **Em todos os casos, é fundamental que percebamos que temos mesmo é de contar com as próprias forças, entre elas a coragem de mostrar nossas fraquezas.**

ACEITAR A SOLIDÃO AJUDA A NOS RELACIONARMOS MELHOR

Solidão é uma condição que nos caracteriza e define. Ela deriva da originalidade absoluta de nossa mente, de tal forma que podem existir umas tantas que sejam parecidas, mas nenhuma será igual. A comunicação entre os humanos será sempre precária, pois o que falamos nem sempre corresponde ao que os outros ouvem. Falo com minha mente e a pessoa ouve com a dela, que é diferente da minha. Gostamos de ter a ilusão de que não estamos tão sozinhos e por isso nos sentimos muito atraídos, desde o nascimento, pela tendência a reconstruir a fusão com outra pessoa. Nem mesmo nos casos em que a fusão é muito bem-sucedida nos livramos da solidão. Apenas temos a impressão de estarmos fundidos, mas é claro que isso não aconteceu. Basta uma pequena divergência e já nos lembramos, irritados e com raiva do parceiro, de que não somos a mesma criatura nem somos iguais. **De nada adiantam as ilusões: a verdade é que o sonho romântico da fusão perfeita e sem decepções está condenado ao fracasso, não porque a paixão é efêmera, mas porque um corpo não pode se fundir com outro e muito menos isso é possível entre mentes diferentes — e que, apesar de tudo, têm certo orgulho de serem como são.**

Assim, podemos dizer que os humanos se debatem, de fato, entre aceitar sua condição, a da solidão definitiva e radical (para usar a expressão de Ortega y Gasset), e continuar lutando feroz e desesperadamente em busca do impossível: a integração efetiva com as outras pessoas, e a fusão romântica seria o sonho máximo desse empenho de integração. Não estou dizendo que não podemos nos relacionar uns com os outros. Digo que a interação padecerá inevitavelmente de dificuldades pelo fato de nossa mente ser ímpar. Ao aceitarmos a precariedade das interações, estaremos dando um enorme passo na direção da melhora das relações entre as pessoas.

Pode parecer paradoxal que a aceitação de nossa solidão radical seja o caminho para a melhora dos relacionamentos. Entretanto, se levarmos em conta que o maior problema que temos nas interações com os outros talvez seja o de partirmos do princípio de que a mente deles é igual à nossa, então a plena consciência de nossa originalidade é o pilar sobre o qual poderá se alicerçar uma postura diferente e melhor. Quando acreditamos que os outros têm uma mente igual à nossa, esperamos deles procedimentos similares aos que teríamos em determinadas situações. Quando isso não acontece, nos frustramos, nos decepcionamos com as pessoas e, por vezes, com as relações humanas em geral. Passamos a sentir raiva daqueles que nos decepcionaram, acusando-os de um erro que foi nosso. Só mesmo por meio do pânico que aprendemos a sentir diante da simples idéia representada pela palavra "solidão" é que tendemos a cometer um erro assim grosseiro.

As diferenças entre as pessoas são visíveis "a olho nu". Não existem dois rostos iguais; por que os cérebros e as mentes haveriam de sê-lo? Se isso fosse verdade, não nos sentiríamos tão sozinhos e abandonados. Sempre que uma verdade nos incomoda muito, empurramos nossa atividade psíquica para debaixo do tapete e "inventamos" algo que nos consola. No caso que estamos abordando, inventamos propriedades gregárias para nós, inventamos que a extroversão é uma virtude, que o interessante mesmo é conviver com muitas pessoas, que todas elas têm sentido moral introjetado e que, portanto, sentem culpa quando transgridem seus valores, os quais são os mesmos em todos etc. **Tudo mentira! Cada pessoa é de um modo, de forma que a culpa está presente em uns e inexiste em outros. O vocabulário é o mesmo; a palavra "culpa" será usada igualmente por todos, mas o que cada um sentirá intimamente será muito diferente.**

Ao levarmos tal reflexão às últimas conseqüências, fica um tanto ridículo qualquer tentativa nossa de querer modificar os outros, ainda mais se tomarmos nós mesmos como modelo. Apesar do ridículo, a grande maioria dos casais ainda gasta boa parte de seu tempo com brigas que têm esse objetivo: um tenta modificar o outro para que ele se ajuste a seu modo de ser e vice-versa. O que acontece? Absolutamente nada! Todos continuam a ser exatamente o que suas mentes determinaram, quer porque gostam de ser como são, quer porque não conseguem ser diferentes, quer, ainda, porque se sentiriam muito mal caso se modificassem apenas em decorrência das pressões que estão sofrendo. A política de conciliação, da busca de concessões recíprocas para que se possa conviver melhor e com menos desavenças não costuma ser bem-sucedida. Nossa capacidade de fazer concessões é menor do que pensávamos; somente a utilizamos quando for essencial para nossa sobrevivência. Só concede quem não suporta nem mesmo a idéia de ficar só. Concederá igualmente aquele que o fizer de modo silencioso ou o que gritar sempre, dando mostras de grande revolta pelo fato de as coisas não andarem como gostaria.

Depois de muita luta com o objetivo de fazer que os casais aprendessem a conceder — e sempre se disse que amar é saber conceder, saber abrir mão em favor do outro —, até os mais conservadores terapeutas conjugais perceberam que a maior possibilidade de sucesso para a vida em comum reside no fato de que cada um consiga aceitar o outro como ele efetivamente é. Aprender a aceitar o parceiro como ele é em vez de querer modificá-lo já corresponde a um importante avanço na direção do respeito mútuo. No entanto, a própria palavra "aceitar" ainda passa a impressão de que nosso modo de ser é mais válido do que o do outro, mas que, em virtude do amor que sentimos, faremos o sacrifício de tolerar sua maneira de ser. Acho que por trás dessa forma de pensar ainda está presente a noção de concessão: concedo ao outro o direito de ser como ele é!

Acredito que podemos ir mais adiante e pensar no outro como alguém que, apesar de ter despertado nosso sentimento amoroso, não é melhor ou pior do que nós. Não tenho de aceitá-lo como é. Tenho de aceitar a vida como ela é: não existem duas pessoas iguais, de modo que é evidente que o outro não é como eu sou nem como eu gostaria que ele fosse. Se partimos do princípio, que estou tentando defender, de que as relações interpessoais são, por definição, traiçoeiras e difíceis, então nada mais justo do que esperarmos maiores dificuldades de entendimento nos relacionamentos mais próximos. Assim, sempre que nos dispomos a eles, temos de nos munir de uma determinação enorme, achando que os benefícios que daí extrairemos compensarão as dificuldades que teremos de enfrentar e seremos mais valiosos do que elas.

Quanto mais conscientes formos de nossa condição de seres solitários, mais claro será para nós que a mente do outro não é igual à nossa. **Deveríamos nos alegrar tremendamente quando percebemos as semelhanças e não nos decepcionar com o surgimento das diferenças, uma vez que já eram esperadas.** Temos de nos empenhar para nunca nos esquecermos da enorme dificuldade que existe quando duas mentes tentam se comunicar, intento que, mesmo que a vontade seja recíproca, nem sempre será alcançado. Não podemos continuar a acusar o outro, a considerá-lo mais incompetente ou pior do que nós quando a comunicação mínima não acontecer. Temos de tratar de compreender que isso é parte de nosso destino. **Seremos melhores pessoas quando não julgarmos os outros tomando por base nosso modo de ser; com essa consciência, não nos irritaremos pelo fato de eles não serem como nós ou como gostaríamos que fossem;** nossas relações interpessoais só se beneficiarão dessa visão clara de nossa solidão. A própria noção de solidariedade terá sentido mais evidente: estamos, de fato, todos condenados a um mesmo destino não tão fácil, de modo que podemos entender as dores que estão presentes no caminho de todos nós. Por vezes, é mais fácil entendermos a humanidade do que cada criatura que nos aparece pela frente.

É importante percebermos quantas brigas improdutivas e desnecessárias já tivemos por causa de diferenças de opinião, tanto com pessoas que se expressam de modo honesto quanto com as que falam sem convicção. Sim, porque é óbvio que uma pessoa honesta pode pensar sobre dado assunto de modo diferente do nosso, mas assim mesmo nos irrita profundamente quando isso acontece, a não ser que nos lembremos de que nosso cérebro único nos "condena" à solidão radical. A agressividade entre os humanos diminuirá muito se formos capazes de nos reconhecer dessa forma.

O respeito entre as pessoas tenderá a se tornar mais constante, uma vez que diferenças de todo tipo deixarão de incomodar, ofender, agredir; elas serão aceitas de forma natural. É possível que venham a conversar menos, pois perceberão melhor as limitações da comunicação e a dimensão do abismo que as separa. Tudo isso trará conseqüências muito benéficas para a vida íntima, segundo o que posso antever e constatar pelo estado de alma dos que já compreenderam melhor a questão da solidão. Um desdobramento indiscutível e muito importante desse raciocínio é que estamos pouco habilitados para julgar as outras pessoas, uma vez que não podemos ter acesso a todas as motivações que as impulsionam.

Mais importante ainda é a recíproca: os outros também não estão qualificados para nos julgar e nos avaliar! É difícil expressar exatamente o que sinto ao pensar sobre esse assunto no preciso momento em que estou escrevendo estas linhas, pois fico tomado de um estado de euforia, quase juvenil, pelo caráter libertário contido nesse tipo de pensamento. Então, quer dizer que estou livre do julgamento das pessoas? Não tenho de me constranger diante delas e das expressões de reprovação, ironia ou indignação que observo em seus rostos severos? É isso mesmo. Elas não são competentes para me julgar nem conhecem o que está dentro de minha alma, tampouco estão qualificadas para outra coisa que não seja cuidar da própria vida.

A preocupação que temos com o modo como seremos vistos pelas outras criaturas tenderá a cair para quase zero. O simples fato de elas tentarem nos julgar já as desqualificará e as colocará na categoria daqueles que ainda não perceberam que somos seres solitários e ímpares. Elas serão criaturas à moda antiga, que acham que existe um único modo de se posicionar diante da vida. Para manter o procedimento definido e definitivo, terão enchido o porão de seu inconsciente com tudo que não combinava com o modo de ser por elas escolhido. Serão criaturas desprovidas de compreensão e não mais nos incomodarão. Nós é que teremos de ter certa paciência para tolerar alguns comportamentos incômodos que elas continuarão a ter.

O grau de liberdade individual crescerá muito à medida que deixarmos de nos preocupar com a opinião que os outros têm de nós. E não o faremos por decreto, porque queremos ser livres. **É o contrário: sentimo-nos livres porque finalmente pudemos compreender que seres únicos não estão qualificados para julgar os outros. Podemos ser como bem nos aprouver e temos de responder apenas a nossa consciência moral e às normas básicas que regem a convivência respeitosa e pacífica entre os homens.** De resto, cada um que faça de sua vida o que bem entender.

Tenho pensado cada vez mais na importância da vaidade em nossa vida e me preocupado em encontrar um caminho no qual ela seja menos poderosa, influencie menos nossas decisões e ações. Entristece-me observar criaturas inteligentíssimas totalmente escravizadas por esse prazer ridículo de se exibir para despertar a admiração e o desejo dos outros. **Todos saímos da rota por causa da vaidade, que nos leva a ter preocupações com aspectos banais e muito superficiais da vida. A vaidade intelectual não é menos ridícula, condição na qual as pessoas sentem enorme prazer em exibir seus conhecimentos sem nenhum fim específico e em horas inoportunas.** Temos de encontrar um modo de vida mais sábio, mais voltado para as verdadeiras satisfações do que para esse prazer exibicionista que nos faz também muito dependentes das outras pessoas.

Acredito que a consciência de nossa solidão e da singularidade de nossa mente nos ajuda a nos livrar do medo do julgamento das outras pessoas, o que nos faz menos limitados em nossas ações. **Penso que, se pudermos nos orgulhar de sermos competentes para carregar o fardo de nossa existência, estando de posse da máxima consciência possível de nossa verdadeira condição, se pudermos verdadeiramente nos orgulhar de sermos indivíduos inteiros e do fato de que, apesar de desamparados e insignificantes, conseguimos encontrar um sentido e uns tantos prazeres em nossa vida, talvez percamos o interesse em nos exibir como proprietários de uma roupa, um relógio ou um carro novo.** Talvez nossa vaidade possa se exercer de forma mais consistente, fazendo-nos erotizados por estarmos conseguindo dar uma diretriz e um sentido a nossa vida. Talvez a vaidade venha a se alimentar mais do que fomos capazes de conquistar "da carne para dentro" e que, de alguma forma, sempre se manifestará externamente.

Em vez de nos empenharmos em conquistas externas e em exibições superficiais, podemos muito bem agir de forma mais construtiva e buscar o aprimoramento interior. Aliás, quanto mais nos aceitarmos como criaturas solitárias, mais óbvio será percorrer esse trajeto, já que as ações externas estarão sempre sujeitas a enormes mal-entendidos. A aceitação de nossa solidão prioriza a introspecção. A vaidade terá de se adaptar a essa nova realidade, de modo que o exibicionismo deverá estar de acordo com nossos novos valores.

É fácil entender meu entusiasmo ao pensar sobre esses desdobramentos ligados à questão da solidão. Tenho sido um entusiasmado pesquisador dos caminhos que possam ampliar a liberdade de cada indivíduo. **Tudo que nos faz menos preocupados com a opinião dos outros, tudo que pode nos levar a ter uma vaidade menor — esses dois ingredientes são os que mais nos escravizam aos "outros", criaturas genéricas que nem ao menos conhecemos — ampliará nossa liberdade individual.** Sempre que pudermos agir de acordo com o que somos e pensamos, sem levar em conta o que os outros pensarão de nós, estaremos agindo de forma livre. O prazer que deriva de podermos agir assim é indescritível. É esse o estado que, segundo creio, devemos buscar com persistência e obstinação.

O MAL, O BEM
E MAIS ALÉM
egoístas, generosos e justos

REF. 50039
ISBN 85-7255-039-9

"Os livros de Flávio Gikovate têm me ajudado a elaborar muitos de meus personagens em novelas. Sua maneira clara e simples de expor complexas e profundas teorias psicológicas traz para o leitor o privilégio de conhecer idéias inéditas sobre o comportamento humano e, principalmente, de se conhecer melhor. *O mal, o bem e mais além* é um exemplo perfeito de tudo isso. Nestes tempos sem ideologia, em que a linha que separa o bem do mal fica cada vez mais tênue, é importante revermos conceitos e partirmos para uma nova era, livres do ranço que acumulamos na cabeça e conhecendo melhor o ser humano que passamos a ser neste mundo globalizado."

SÍLVIO DE ABREU
Autor

"O livro que vocês vão ler é a síntese de tudo que fui capaz de compreender a respeito da questão moral observada pela ótica que minha profissão me permitiu. Se ele servir de estímulo e impulso para que voltemos, todos nós, a nos preocupar com a constituição de um conjunto de valores capazes de nos nortear no planeta que temos modificado de forma tão radical, terá cumprido plenamente minhas expectativas."

FLÁVIO GIKOVATE

DEIXAR DE
SER GORDO

REF. 50043
ISBN 85-7255-043-7

Ser gordo, hoje, é ser estigmatizado. Como se não bastasse a cobrança interna, a pessoa que sofre de obesidade é obrigada a conviver com imagens de perfeição estética que a afligem ainda mais. Utilizando toda sua força de vontade para tentar sair do grupo dos excluídos, começa aquele "regime de segunda-feira", em que ingere só salada e uma ou outra fruta ao longo do dia. À noite, está completamente faminta. Sem conseguir resistir, empanturra-se de comida e "sabe" que cometeu um pecado mortal ao quebrar a dieta. Sentindo-se culpada e fraca, a pessoa se tortura mentalmente e promete retomar o regime no dia seguinte. O resultado dessa rotina perversa é quase sempre o aumento do peso – e da frustração.

É basicamente assim que Flávio Gikovate explica a obesidade. Utilizando uma linguagem clara e direta, o autor mostra de que forma funcionam os mecanismos psicológicos do gordo – e fala com causa própria, uma vez que ele mesmo enfrentou o problema – e como revertê-los, alcançando a saúde e a plenitude mental.

Grupo Summus
www.gruposummus.com.br
www.gruposummus.com.br
Acesse, conheça o nosso catálogo e cadastre-se para receber informações sobre os lançamentos.

IMPRESSO NA
GRÁFICA sumago
sumago gráfica editorial ltda
rua itauna, 789 vila maria
02111-031 são paulo sp
tel e fax 11 **2955 5636**
sumago@sumago.com.br